O Semeador de Ideias

AUGUSTO CURY

O Semeador de Ideias

)|(Academia de Inteligência

Copyright © Augusto Cury, 2010

Revisão: Gloria Nogueira, Bel Ribeiro, Marcia Menin
Projeto de miolo: Printmark Marketing Editorial
Diagramação: Triall
Capa: Marcílio Godoi

Dados Internacionais de Catalogação na Publicação (CIP)
(Câmara Brasileira do Livro, SP, Brasil)

Cury, Augusto
  O semeador de ideias / Augusto Cury. --
São Paulo : Editora Academia de Inteligência, 2010.

ISBN 978-85-60096-94-7

1. Ficção brasileira   I. Título.

10-10456   CDD-869.93

Índices para catálogo sistemático:
1. Ficção : Literatura brasileira   869.93

2012
Todos os direitos desta edição reservados à
EDITORA ACADEMIA DE INTELIGÊNCIA LTDA.
Avenida Francisco Matarazzo, 1500 - 3º andar - conj. 32B
Edifício New York
05001-100 - São Paulo - SP
www.editoraplaneta.com.br
vendas.academia@editoraplaneta.com.br

Dedicatória

Para Camila, Carolina e Cláudia, minhas queridas filhas, que me transformam diariamente num eterno aprendiz. Elas irrigam minha história com amor e me fazem entender que, sem o amor, os ricos se tornam miseráveis e, com ele, os miseráveis se transformam em abastados; sem o amor, o conhecimento se torna uma fonte de tédio e, com ele, um manancial de aventura. Não sou um pai perfeito, mas me considero o mais feliz do mundo.

Sumário

Prefácio, 9

CAPÍTULO 1
O Semeador de Ideias, 11

CAPÍTULO 2
Migalhas de prazer, 43

CAPÍTULO 3
O instinto animal e a educação, 57

CAPÍTULO 4
A revelação do maltrapilho, 63

CAPÍTULO 5
O mercado é mais importante que as pessoas, 75

CAPÍTULO 6
Dinossauros e seres humanos, 87

CAPÍTULO 7
Dois homens, duas maneiras de pensar a humanidade, 99

CAPÍTULO 8
Um vendedor de ilusões, 107

CAPÍTULO 9
Invadindo o território das celebridades, 115

CAPÍTULO 10
Um homem perigoso, 123

CAPÍTULO 11
Escândalo num dia de *glamour*, 131

CAPÍTULO 12
A democracia da emoção, 141

CAPÍTULO 13
Revelando os bastidores, 151

CAPÍTULO 14
O crime do filho de Mark Sagan, 161

CAPÍTULO 15
Um seguidor clandestino, 169

CAPÍTULO 16
Chocando pais e professores, 175

CAPÍTULO 17
O encontro, 187

CAPÍTULO 18
O preço da honestidade, 195

CAPÍTULO 19
O dia mais triste para os discípulos, 203

CAPÍTULO 20
Um sociopata na família, 209

CAPÍTULO 21
Cortando os laços familiares, 219

CAPÍTULO 22
Ligações perigosas, 223

CAPÍTULO 23
Marcado para morrer, 233

CAPÍTULO 24
Um psicopata na cadeia, 239

CAPÍTULO 25
O colecionador de alegrias, 247

Pós-dedicatória, 255

Prefácio

Este romance conta a história de um homem internacionalmente poderoso que descobriu que a existência é uma brincadeira no tempo e que o sucesso é cíclico, tal como as tenras folhas que nascem na mais bela primavera e se desprendem inevitavelmente no próximo inverno. Ele percorreu lugares distantes e inóspitos, travou batalhas enormes e depois de muitas fadigas descobriu que tudo o que procurava estava mais próximo do que imaginava.

O mundo desabou sobre esse homem. Tornou-se um colecionador de lágrimas. Profundamente deprimido, como se estivesse com a mente despedaçada, saiu, primeiro, em busca do seu próprio ser e, posteriormente, da sociedade dos sonhos. Traído pelos amigos, asfixiado pelas perdas e pressionado pela culpa, tornou-se um Dom Quixote moderno que percorreu o mundo lutando contra os fantasmas que o assombravam. Mas entendeu que os piores fantasmas estavam dentro dele. Nessas andanças, libertou sua inteligência e retirou força da fragilidade, coragem do medo, serenidade da loucura. Por onde andava reunia pessoas feridas, deprimidas, mutiladas emocionalmente, tratadas como escória ou lixo social. Cuidou delas como um pai, protegeu-as como um amigo e as nutriu como um semeador de ideias.

Nessa jornada fez grandes descobertas. Descobriu que a indústria da pressa asfixiou a tranquilidade, a indústria da informação contraiu a formação de mentes pensantes e a indústria do consumismo sangrou a capacidade de se encantar com a beleza escondida nas pequenas coisas. E, pior, descobriu que ele mesmo, quando era um dos homens mais poderosos do planeta, havia contribuído para acelerar essas "indústrias" e instalar o caos na sociedade.

Para este intrigante homem, a sociedade digital estava criando ilhas humanas. A solidão tornou-se a angústia fundamental de adultos e crianças, embora nem sempre percebida. Eram tempos difíceis. Tempos de escassez de prazer e de abundância de ansiedade. Tempos em que se procuravam novos heróis, sem saber que a necessidade vital da humanidade não era de heróis, mas de seres humanos conscientes de sua fragilidade e de suas imperfeições.

Neste romance psiquiátrico e sociológico, procuro dissecar algumas masmorras psíquicas e algumas loucuras da atualidade. Nele há elementos autobiográficos. As preocupações, a sede de respostas e os questionamentos que pulsavam na mente do protagonista pulsam também em mim...

AUGUSTO CURY

CAPÍTULO 1

O Semeador de Ideias

Sempre me fascinou estudar seres humanos que marcaram a história da humanidade. Alguns pelo seu imaginário, como Newton, Einstein e Freud; outros pela sua determinação estratégica, como Lincoln, Churchill e Martin Luther King; outros pelo poder do silêncio e da sensibilidade, como Maria, Gandhi e Confúcio; e outros, ainda, pelo poder influenciador das palavras, como Moisés, Rousseau, Voltaire e Marx. Quando pensava que ninguém mais me surpreenderia, eis que encontrei um homem de cabelos revoltos, roupas rasgadas e remendadas, um verdadeiro maltrapilho, sem qualquer *glamour* social, mas que, apesar disso, abalou minha mente e me atraiu com seu magnetismo intelectual. Encontrava-me nos vales mais profundos da dor psíquica. Cativado, passei a segui-lo, não como um religioso ou um idealista político, mas como uma fonte borbulhante de indagações e como engenheiro de ideias. Caminhei ao seu lado, correndo todos os riscos possíveis e imagináveis.

Eu, um professor doutor em sociologia, escritor, especialista em marxismo, orientador de teses, ao andar com ele, descobri alguns dos meus fantasmas. Era um ególatra. Não era um alcoólatra, mas vivia embriagado com meus títulos e conhecimento acadêmico. Sabia mais do que meus pares sobre socialismo, relação capital-trabalho, socioeconomia dos grandes impérios. Era um expoente na universidade, sabia conviver com livros, mas não com seres humanos. Sempre fui tenso, irritadiço, impulsivo, intolerante. Resiliência quase zero. Não aceitava ser contrariado, criticado, confrontado. Amava expor as falhas alheias, mas escondia as minhas debaixo do tapete da minha intelectualidade. Humildade e sensibilidade não faziam parte do dicionário da minha existência.

Certa vez, o maltrapilho olhou bem nos meus olhos, como se estivesse penetrando na minha mente e desvendando meu passado turbulento, e me advertiu, assim como aos demais discípulos:

— A humanidade não precisa de heróis nem deuses, mas de seres humanos que reconheçam suas tolices e assumam suas limitações e imperfeições. Vocês são deuses ou seres humanos?

Eu me julgava um ser humano, dava cursos sobre inclusão social, mas confesso que sempre me comportei como um deus inquestionável. Em seguida, ele completou:

— Todo herói um dia vê sua força se esfacelar. Todo gigante, por maior que seja, em algum momento se apequena. Todo pensador depara-se, cedo ou tarde, com suas loucuras. E todo mestre, em sua caminhada, se torna um menino diante do inexplorado.

Suas palavras pareciam prever a tragédia que brevemente lhe aconteceria; aliás, a segunda tragédia. A primeira ocorrera havia poucos anos, quando sofreu a perda de toda a família. A agenda humana recomenda que os filhos enterrem seus pais. Pais que enterram seus filhos experimentam o último estágio da dor humana. Meu Mestre não apenas vivenciou essa dor, mas, além disso, não enterrou seus dois filhos nem sua querida esposa, pois não achou seus corpos no acidente de avião que ceifou suas vidas. É provável que a psicologia não tenha esquadrinhado angústia tão espantosa como a que ele enfrentou. Tornou-se o mais devastado dos homens. Perdeu tudo, sobrou-lhe o irrelevante: *status* social elevadíssimo, poder político internacional e uma das maiores fortunas do planeta.

Tratamentos psiquiátricos e psicoterapêuticos o aliviaram, mas não suavizaram o drama da perda nem lhe devolveram o oxigênio da alegria. Tinha crises frequentes. As imagens do passado, a saudade incontrolável, o vazio emocional, a culpa tiravam sua concentração e torpedeavam sua mente. Queria voltar no tempo e ter cinco minutos para mudar sua história. Mas como? Talvez por isso sempre nos alertasse:

— A morte é cruel. Digladia com intelectuais e os torna meninos. Debate com ateus e os transforma em tímidas crianças. Guerreia contra generais e os torna frágeis combatentes. Batalha com milionários e os sepulta na lama da miserabilidade. Duela contra celebridades e as faz beijar a lona da insignificância. A vida sempre nos dá outras oportunidades, a morte nunca.

A morte cerrou-lhe as janelas das oportunidades e revelou sua pequenez. Sempre achou que poderia ter feito muito mais por seus filhos e sua esposa. Amava-os, e muitíssimo, mas pouco a pouco os colocou no rodapé da sua história, trocou-os por reuniões de trabalho intermináveis. Procurava viver o tempo qualitativo, construir momentos solenes dos míseros minutos que tinha para eles. Talvez por isso eles o amassem tanto, mas queriam também o tempo quantitativo, queriam rolar no tapete, fazer programas, envolver-se em peripécias. Mas não tinha tempo nem para si mesmo. Era um homem que diariamente tomava grandes decisões que envolviam a vida de milhares de pessoas. Nos últimos dois anos, chegava em casa esgotado, sem energia.

Era um escravo que bradava internamente que em breve faria uma grande cirurgia na sua agenda. Todavia, a morte bateu-lhe à porta e fechou-lhe a agenda.

Ele guardava importantes segredos que nós, seus discípulos, desconhecíamos. O que o levou a tomar uma decisão aparentemente insana de sair pelo mundo, sem rumo, sem endereço, sem mapa? Como pode alguém que foi clicado, aplaudido, colocado no centro das atenções sociais optar por ser um indivíduo paupérrimo? Por que fala pouco sobre seu passado? Saiu sem nada, sem dinheiro, cartão de crédito, cheques, seguranças, carros. Saiu em busca do elo perdido, como um Dom Quixote que perambulava pelas ruas da cidade moderna, lutando contra os monstros que encontrava pelo caminho, e, por fim, descobriu que eles estavam dentro de si. Talvez por isso, um mês atrás, tenha nos abalado com estas palavras:

— Se considerarmos a personalidade humana como um grande edifício, a maioria dos humanos nunca saiu do térreo, da sala de recepção. Sim, a maioria jamais entrou no subsolo da sua mente nem nos andares mais elevados da sua inteligência. São desconhecidos de si próprios. — Depois dessas palavras, fitou-nos e disse: — Eu era um estranho para mim mesmo. Um estrangeiro em minha própria terra. E vocês?

— Eu? — tive de admitir também — ... eu dava aulas, conversava com as pessoas, telefonava, fazia relatórios, brigava com alunos, discutia as teses socialistas e capitalistas, mas raramente saía da sala de recepção da minha psique. Por isso, quando adoeci e precisei procurar psiquiatras e psicólogos, resisti. Não tinha medo deles, até porque era mais culto que vários desses profissionais, mas tinha medo de mim, tinha medo de me encontrar.

— Eu já fui para o subsolo da minha mente — disse Bartolomeu, o discípulo que vivia bêbado pelos bares da vida e caído pelas ruas. Era o mais sincero e de língua mais incontrolável. Em seguida completou: — Encontrei cada assombração, de dar frio na espinha.

De fato, todos nós temos nossos monstros, mas muitos preferem negá-los ou escondê-los. O Mestre era transparente, dia a dia nos ensinava a ter contato com nossas mazelas e misérias, a superar a necessidade neurótica de ser perfeito. Mas por quanto tempo o seguiremos? Deixará um dia de ser um maltrapilho? Como se dará no futuro nossa relação com ele? Nenhum discípulo tinha a resposta. Nem ele sabia sobre o amanhã, só sabia que tinha sido um prisioneiro no passado. E falou de algumas de suas algemas nos tempos de glória:

— O dinheiro pode transformar mansões em prisões, empresas em masmorras e terras em ilhas. Eu tinha belíssimos jardins, mas quem desfrutava das flores eram meus jardineiros. Quem era rico? Eu ou eles?

Ele não tinha medo de dizer que era um miserável morando em um palácio. O homem, detentor de um dos mais elevados *status* internacionais, caiu do pináculo da sua glória para os patamares mais baixos da miserabilidade social ao perder toda sua família. E quando, na condição de maltrapilho, parecia que não tinha mais nada de valor, encontrou valores inestimáveis. Ao abrir sua boca destemida e espontânea, tornou-se um polo de atração de pessoas. Por onde passava resgatava mentes feridas. Dava-lhes conforto, atenção exclusiva, provocava-lhes o intelecto bloqueado, instigava-as à genialidade. Às vezes se calava e apenas dava-lhes o ombro para chorar. Fazia isso como forma de respirar, de sentir-se um ser humano.

Encontrou, pouco a pouco, dias felizes ao lado do complexo e complicado grupo de discípulos, entre os quais figuravam vigaristas, espertalhões, alcoólatras, drogados, psicóticos, deprimidos, sociólogos, modelos, professores. Alguns deles sempre o metiam em confusão. Mas, em vez de reclamar, relaxava com nossas bobagens.

— Quem cobra muito de si e dos outros está apto para lidar com números, mas não para conviver com seres humanos.

Tinha sido um homem que exigia muito dos outros e de si. Mas flexibilizou sua mente ao tomar consciência de que a existência é uma pequena brincadeira que se encerra rapidamente no pequeno palco de um túmulo.

No começo de nossa jornada, não sabíamos quem seguíamos. Só agora, depois de muitos meses, estávamos conhecendo esse misterioso personagem. E descobrimos sua identidade por causa da segunda tragédia que viveu: a causa pela qual a vida de sua família fora ceifada. Ele procurou dia e noite uma explicação para o acidente, mas nunca encontrou uma resposta satisfatória. Então, uma pequena mensagem, que chegou a ele por meio de um estranho, esfacelou sua alma e revelou algo inimaginável: o acidente aéreo que extirpou sua família e outros passageiros não fora por pane no motor ou falha do piloto, mas um ato terrorista. E ele era o alvo.

Gostaria de ter seu perdão, mas não exijo que me perdoe. Sei que todo homem tem seus limites, principalmente quando atingem seus filhos. Saiba que dois dos seus grandes amigos da Megasoft encomendaram um assassinato. Seus filhos não morreram num acidente. Todos pensavam que você estaria no voo JM 4477 do dia 23 de março. Você era o alvo.

A mensagem era misteriosa, trazida por um mensageiro estranho, e fora escrita por alguém que conhecia muito bem o passado do Mestre. Por que a mensagem chegou somente agora? Arrependimento? Vingança? Queima de arquivo? Não sabíamos, nem ele, mas o fato é que os dados eram reveladores, citavam sua empresa e davam especificações do número do voo. Jamais se esquecera daquele voo, do dia e da hora de embarque. Programara aquelas férias com seus filhos e sua esposa.

Estava eufórico com a viagem, precisava descansar, necessitava curtir suas crianças, sentia que elas estavam crescendo e não conseguia acompanhar o desenvolvimento delas. Mas não queria viajar dessa vez num jato particular, mas numa aeronave comercial da sua companhia aérea, que era um dos seus mais novos empreendimentos. No último momento, por causa de um compromisso urgente surgido na sala de embarque, não conseguiu embarcar, mas os terroristas não receberam essa informação. Para destruir um homem, eliminaram impiedosamente 105 pessoas. A vida, cujo preço é incalculável, foi reduzida a valores irrisórios.

Toda vez que encontrava um pai reclamando da vida, do salário, da empresa, ele olhava para o filho que estava ao seu lado e o chocava:

— Quanto vale teu filho?

Espantado, o pai dizia:

— Não tem preço!

— Então, tu és o mais rico dos homens.

Fico imaginando o drama que passava na sua mente por não ter mais as pessoas que amava e por perdê-las indiretamente por sua causa. Seu sucesso foi sua desgraça. Ele sabia muito bem o estrago que o sentimento de culpa, quando intenso, pode causar na mente humana. Um mês antes de essa dramática notícia vir à tona, o Mestre passeou pela história da filosofia e comentou que Sócrates, grande pensador grego, ao ser sentenciado a beber a cicuta, que produzia a morte por envenenamento, minutos antes de bebê-la pediu aos seus discípulos que saldassem uma dívida. Era a dívida pequena de uma ave, um galo, mas ele fazia questão de resolvê-la.

— Quem se preocuparia com dívidas diante da morte? Sócrates se preocupou. A cicuta asfixiaria seus pulmões e paralisaria seu coração, mas a culpa não envenenaria sua emoção. Os venenos intoxicam o corpo, mas a autopunição gerada pela culpa faz sangrar a alma. E Sócrates sabia disso.

A notícia que acabara de receber produziu uma violenta autopunição que fez sua alma sangrar imediatamente. E agora? Os monstros da perda e da saudade estavam razoavelmente domesticados, mas o sentimento de culpa subitamente se alastrou no subsolo da sua mente, ganhando proporções fantasmagóricas. Algumas importantes dívidas são possíveis de saldar. Mas como saldar a dívida desse pai dilacerado? Não era possível! Para quem pedir perdão? Para seus filhos, sua esposa? Eles se foram! Como corrigir o passado, se ele é irretornável? De fato, o gigante se apequenou ao máximo. Caiu de joelhos e prostrou seu rosto na terra. Seus lábios tremiam, e ele bradava inconsolavelmente:

— Meus filhos morreram por minha causa! Por minha causa! Não! Não!

Imagens dos seus filhos correndo, abraçando-o, beijando-o percorriam seu intelecto e se misturavam com a realidade. O "médico" de mentes fragmentadas que protegia os desprezados da sociedade tornou-se o mais ferido dos seres humanos. Não havia palavras que descrevessem sua crise. Eu fiquei mudo, não tive reação. O sábio tornou-se um menino sem nada nem ninguém, completamente desprotegido. Com sua face sobre os joelhos, balbuciava para si mesmo:

— Perdoem-me! Perdoem-me. Eu os amo, mas não os protegi. Perdoem-me. — E, apertando a cabeça com as mãos e friccionando os cabelos, vociferava angustiadamente, como se estivesse alucinando: — Tranquilidade...! Qual teu preço? Onde estás?

Sabia que a tranquilidade valia mais que o ouro e a prata. Sem ela, reis enlouqueceram; com ela, súditos miseráveis se tornaram ricos. Sem ela, generais vitoriosos foram derrotados; com ela, perdedores recomeçaram sua vida, resgataram o prazer de viver. Daria toda a sua fortuna em troca da tranquilidade, mas sabia que ela era invendável. Procurava-a como um náufrago que alucina. Lembrei-me de três meses atrás, quando ele abordou a filosofia da dor:

— Quando a dor psíquica nos encontra nas curvas da existência, todas as nossas diferenças desaparecem. Deixamos de ser judeus e árabes, psiquiatras e pacientes, ricos e miseráveis, e nos tornamos tão somente seres humanos desesperados em busca de paz e conforto.

Pensei eu: a criatividade e a audácia se despedirão definitivamente da sua alma; a sensibilidade e a paz de espírito se transferirão da morada da sua mente para nunca mais voltar. E ainda analisei comigo: sua voz não entoará mais melodias, nem seu intelecto semeará mais ideias. Sua inteligência se confinará num cárcere insolúvel. Será um homem condenado a viver dia e noite nos vales sórdidos da depressão e nos terrenos desérticos da culpa. Enfrentou o terror de fora com incrível determinação, inclusive vaias, vexames, espancamentos e riscos de morte, mas será silenciado pelo terror de dentro. E, sobre esse sutil pavor, certa vez nos comentou metaforicamente:

— Não tropeçamos nas grandes montanhas, mas nas pequenas pedras. Os vírus nos matam mais do que os grandes inimigos exteriores. Quais vírus? Os do humor depressivo, da autopunição, do medo, dos pensamentos perturbadores que se alojam em nós e ninguém vê.

O terror de dentro injetou colônias de vírus na sua mente, bombeando pensamentos inquietantes do recôndito do seu ser, que o algemavam no banco dos réus e o sentenciavam aos gritos: "Culpado! Culpado!". Seu cérebro estressado fazia seu tórax vibrar e seus pulmões galoparem em busca desenfreada pelo ar. Para mim, ele estava em colapso psíquico e dele não sairia.

Ele se preocupava com os vírus mentais, e eu, com as armas de fogo. Em breve, forças ocultas e malévolas que eliminaram seus entes queridos o eliminariam. Senti calafrios na espinha ao pensar que ele estava sendo caçado como rato em porões. Provavelmente, nesse exato momento, já estivesse sob a mira de um atirador de elite. Ideias persecutórias me abalaram. Ao que parecia, era um milagre ele estar vivo até agora.

Não entendo por que queriam matá-lo, mas é provável que sua cabeça valesse mais dinheiro do que um pobre professor de sociologia conseguisse contar. Preocupadíssimo com nossa segurança, sentenciou que daquele dia em diante não queria ser seguido por ninguém mais. A grande aventura findou, o sonho dissipou-se como gotas em terra árida.

— Por favor... Partam! Aprendi a amá-los, mas ninguém mais... Sim, ninguém mais deve morrer por minha causa.

Um filme sem roteiro rodava em sua mente, cujos personagens haviam morrido no trágico acidente. Pensava nos pais que se foram, nas mães silenciadas, nas crianças que não mais brincariam. Estava indignado e completamente inconformado. Seus brados altissonantes atraíram como mel os passantes famintos de emoções:

— Por quê?! Por quê?! O que fiz para ser protagonista de tanta dor?! Onde falhei? A quem feri? Por que eles, e não eu?

Batia agressivamente no peito com a mão direita como se quisesse arrancar seu coração ainda pulsando sangue. Diferentemente dos líderes mundiais que levaram seus filhos para a guerra sem sentimento de culpa, ele também fora um líder mundial, mas, embora imperfeito, deprimia-se por cada inocente que morrera indiretamente por sua causa.

Quem poderia ajudar uma mente inteligente como a dele? Quem poderia aliviá-lo? Se psiquiatras e psicólogos perturbavam-se com sua genialidade e o admiravam, alguns até seguindo-o informalmente, o que dizer de mim mesmo, que me sinto impotente?! Sei dos meus limites, visitei os vales sórdidos da autorrejeição e da desmotivação. Queria desistir de viver, mas este homem, ao encontrar-me, chocou-me dizendo que os suicidas têm fome e sede de viver. Fiquei assombrado e, ao mesmo tempo, deslumbrado com sua afirmação. "Eu, quando penso em morrer, na realidade estou manifestando sede de viver? Que loucura é essa?", refletia. No fundo descobri que ele estava coberto de razão. Os suicidas são apaixonados pela vida, mas detestam conviver com a dor. Fui iluminado psiquiatricamente.

Pela primeira vez chorei na frente de outro homem sem freios. Passei a encarar meus fantasmas. Resgatei a gana de viver. Fiquei tão grato que iniciei com ele uma bela caminhada. Entretanto, toda história esgota suas vírgulas e termina num cálido e seco ponto final. Não posso fazer nada por ele, nem ele mais por mim. Era mais seguro seguir seu conselho e partir. Foi o que fiz. Amargurado, dei-lhe as costas e fui reconstruir minha agenda. Os demais discípulos, trêmulos, ficaram. Eram mais românticos que eu.

Quando estava a dez metros de distância, entrei em pânico. O homem cuja alma sangrava, em colapso mental, falido pela culpa, sem condições de raciocinar, levantou-se, abriu os braços para o céu e começou a proclamar como o mais lúcido dos loucos ou o mais louco dos lúcidos. Não sei ao certo.

Durante a caminhada que fiz com ele, o vi debater com intelectuais, políticos e grandes executivos e silenciá-los; agora, por mais inacreditável que parecesse, resolveu chamar para o debate Aquele para quem grande parte da humanidade se ajoelha: Deus. Com bramidos dramáticos, fez uma bateria de indagações:

— Quem és Tu, que Te escondes atrás do parêntese do tempo? Quem és Tu, que desdenhas de nossa intelectualidade e sorris de nossas loucuras? Tens Tu prazer de tornar os pensadores, crianças, os filósofos, tímidos e os religiosos, inseguros para falar de coisas que não entendem? És Tu o Autor da vida? Criador? Todo-Poderoso? Se Tu és Todo-Poderoso, por que não discutes comigo sobre minhas inquietações? Não admites que os diminutos debatam Contigo? Proponho uma mesa-redonda entre Tu, colossal, e eu, frágil! Nela depositarei minhas lágrimas e indecifráveis dúvidas, bem como as perguntas que os homens não têm coragem de formular.

Perturbei-me com suas indagações. "Não é possível", pensei. Em vez de se prostrar diante de Deus, ele O chamou para um debate. E ninguém previa o que seria discutido. Depois desse episódio, ele deixou de ser um vendedor de sonhos e passou a ser um ousado semeador de ideias. E nós, após presenciar seu "debate", nunca mais seríamos os mesmos. Não apenas os que o seguíamos ficamos perplexos, como também uma multidão que se aglomerou ao redor dele, emudecida. Judeus, muçulmanos, cristãos, budistas, agnósticos, ateus, havia todas as correntes de pensamento naquela praça movimentada. Ele continuou suas perguntas:

— Por que Te calas, Todo-Poderoso? Porque sou impuro? Por que reténs Tuas palavras? Porque Tu és uma ilusão do cérebro humano ou porque sou mortal, torpe, prepotente? Se Tu és o Autor da vida, tenho direito a uma audiência.

Alguns religiosos radicais, ao ouvir seu protesto, rangeram os dentes e consideraram-no o mais insolente dos hereges. Dois deles, num ímpeto de fúria, arrancaram pedras do calçamento e nele as atiraram sem piedade. Uma delas, que mal cabia na palma das mãos, atingiu seu ombro direito, e a outra, menor, sua face esquerda, traumatizando-a e abrindo uma ferida de dois centímetros. Temi que fosse linchado em praça pública. Teve vertigem. Mal se aguentando, ele mesmo conteve o tumulto com suas mãos, e sinalizou a seus discípulos dizendo:

— Não intervenham! Não importa se morro. Se me calar, já estarei morto.

Sua dor psíquica era tão ampla que minimizou a dor física. Alguns pensavam que fosse um cético ateu expurgando sua revolta; outros, um filósofo que resolvera espantar as perturbações da sua mente. Havia espectadores que pensavam que fosse um psicótico delirando. Mas ele era um ser humano com sede insaciável de explicações. A cena, de qualquer forma, era chocante. Era um homem culto e eclético, passeava pela física e pela filosofia com habilidade. Sua mente era um poço insaciável de perguntas. Tomou fôlego para continuar seu intrigante debate:

— És Tu o insondável, o Alfa e o Ômega? Tua história é um eterno recomeço, em que princípio e fim se entrelaçam num círculo atemporal e interminável? Se não tens princípio nem fim de existência, Tu transcendes o espaço-tempo e, se transcendes, onde Tu estavas na primeira fagulha da existência quando o universo se formou há 14 bilhões de anos na grande explosão, no Big Bang? Que pensamentos permeavam Teu psiquismo?

Deu um nó em nossa mente. Em seguida bradou:

— Tu és a causa fundamental ou um delírio do psiquismo humano? Mas não podes ser um delírio, pois *ex nihilo nihil fit* (do nada, nada se faz). O nada é eternamente estéril. O nada jamais poderia ter despertado do pesadelo da inexistência para o sonho da existência. Nem a Teoria do Big Bang, ou a do Universo Oscilante, ou a do Universo Estático se desvencilharam de uma causa fundamental. Tu tens de ser a Causa das causas. Se Tu não tens origens, se sempre foste, se és a Causa fundamental, eu tenho o direito de saber as origens da existência, porque sou parte dela. Que instrumentos Tu usaste para brincar com a física, com as leis da termodinâmica, com as forças gravitacional e nuclear? Os planetas e as estrelas, bem como a vida, são quase improbabilidades, e Tu o sabes muito bem. Se a taxa de expansão do universo um segundo após o Big Bang tivesse ocorrido a uma velocidade menor do que uma em cem mil trilhões, a força gravitacional teria colapsado o universo, gerando uma grande explosão. E, se se expandisse a uma velocidade infinitesimalmente maior do que se expandiu, não se formariam estrelas e planetas, e novamente não haveria vida. Pensaste nisso ou o improvável ocorreu da loucura do acaso?

Ao ouvir seus questionamentos ditos ao léu, fiquei intrigado com sua cultura. Nunca havia pensado que a chance de existirem planetas e estrelas, do ponto de vista estatístico, era absurdamente pequena. Nem mesmo que a existência da vida era tão improvável quimicamente que a probabilidade seria menor do que a de um atirador localizado em Nova York acertar uma mosca em Paris centenas de vezes, sucessivamente. Talvez por isso o Semeador de Ideias fosse um homem que exaltava a vida como um *show* espetacular. Mas, nesse momento, estava desapontado com o Autor da existência. Por isso disse:

— Não Te cales, eu Te peço. Se fores o Artesão superinteligente da existência, tens uma personalidade, como eu tenho. E, se tens, por que não mostras Tua identidades e respondes aos meus questionamentos? Nós, humanos, amamos o reconhecimento, ainda que não o confessemos, mas por que Tu Te escondes atrás da cortina do espaço? Que personalidade é essa? Por que Te silencias nos bastidores do teatro do tempo e não alardeias Teus feitos no palco? Que intelecto é esse? Por que preferes que os seres humanos construam milhares de religiões para que Te tateiem no escuro? Eu, pequeno, frágil, um átomo errante, mas pensante, definitivamente não Te entendo.

Sua sequência de perguntas provocava nosso cérebro. Não tínhamos tempo para respirar e refletir. Após uma breve pausa, começou a entrar no centro das suas dúvidas. Mas, até aquele momento, não sabíamos aonde ele queria chegar.

— Quero entender pelo menos as camadas mais superficiais da Tua mente, "oh, Desconhecido"! O que fazias em todos os infinitos estágios que antecederam os 14 bilhões de anos da existência do universo? Que pensamentos e imaginações encenavam-se em Teu intelecto no tempo antes do tempo? Como vivias? O que Te animava? O que Te motivava? O que movimentava Tua emoção se estavas completamente só, mergulhado nas tramas insondáveis do vácuo, onde o tudo e o nada eram a mesma coisa? Que sentido existencial irrigava Tua emoção, se não ouvias nem falavas com nenhum ser, a não ser Contigo mesmo? O que Te distraía, se não havia um átomo para observar ou uma imagem para contemplar? Quem suportaria essa solidão, por mais alegre e bem resolvido emocionalmente que fosse?

Ficamos coletivamente assombrados com suas indagações. Teólogos, judeus, muçulmanos, cristãos e outros que estavam presentes passaram as mãos sobre a testa tentando conter o suor. Estavam perplexos, porque aquelas perguntas não tinham feito parte do cardápio de seus estudos. Entretanto, alguns religiosos fundamentalistas voltaram a se enfurecer com tais argumentos.

Para eles, um homem mentalmente saudável não deveria fazê-los. Um deles se aproximou e o esbofeteou impiedosamente na face esquerda, produzindo um estalido agudo. Outro esmurrou súbita e violentamente sua boca, gerando um sangramento no lábio inferior, dizendo-lhe:

— Louco! Insano! Quem pensas que és?

O Semeador de Ideias caiu. Começou a sentir uma vertigem mais intensa, quase foi ao desmaio. Os agressores rapidamente foram contidos. Mas ele fez sinal para que não os agredissem. Tentamos ajudá-lo a se levantar e se retirar daquele Coliseu moderno, mas, por insano que fosse, insistiu em ficar. Ele fitou seu último agressor e lhe disse delicadamente:

— Sou homem saturado de erros, mas que tenta entender Aquele em quem você crê.

"De onde retirou essas ideias?", pensei eu. "Por que as expõe?" Conheci o pensamento de Diderot, Marx, Nietzsche, Freud, Sartre e tantos outros ateus que queriam banir Deus da mente humana e da sociedade. Conheci também o pensamento de Santo Agostinho, Tomás de Aquino, Spinoza, Descartes e tantos outros que de alguma forma procuraram Deus nas entrelinhas da existência e na arena do conhecimento. Mas jamais havia tido contato com as indagações que acabara de ouvir. Estávamos tão atônitos com o Semeador de Ideias que os roncos dos motores nas laterais da praça tornaram-se imperceptíveis.

O círculo aumentava em torno daquele homem cambaleante. Estava morrendo, mas precisava continuar o debate com o Autor da existência. Dava a impressão de que o tempo havia parado. Não entendíamos direito aonde queria chegar. Mas, pouco a pouco, as nuvens se dissiparam de nossa mente. Depois de fitar seus agressores, pensei que não tivesse mais energia cerebral para continuar seu debate. Enganei-me. Ainda que Deus se mantivesse calado ou respondesse de forma inaudível, o debate esquentou. O homem que eu seguia retomou o assunto da solidão e disparou para o alto:

— Eu, humano, contraído em minha emoção e limitado em meu intelecto, definitivamente não suportaria uma pequeníssima fração da solidão que Tu viveste, Eterno. A solidão branda inspira minha inteligência, mas a solidão plena despedaça minha mente, aborta meu prazer de viver. Até os psicóticos criam personagens em seus delírios para não serem esmagados pela solidão. — Olhou rapidamente para todos os que rangiam os dentes contra ele e disparou estas perguntas: — Será que os religiosos que Te exaltam consideram que Tu não tens sentimentos? Negam eles que Tu tenhas emoção e necessidades? Não projeta o escultor seus secretos sentimentos na forma das suas esculturas, nem o artista plástico nas nuances dos seus quadros? Bem sabes que o artista produz suas obras por necessidades intraduzíveis!

Nesse momento, fez uma pausa para respirar. Tinha perdido tudo que amava, só lhe sobrara o calabouço da culpa. Pouco a pouco, nós, seus íntimos amigos, fomos entendendo que queria encontrar uma fresta de luz para sair daquele cárcere. Mas como? Respostas filosóficas, religiosas, biológicas e psicológicas simplistas não aquietavam seu complexo e dilacerado intelecto. Conhecia a teoria antropológica de Edward Taylor, e seus erros, e sabia que ela fundamentara o banimento de Deus da sociedade por Vladimir Ilitch Lênin e por outros líderes socialistas. Era também completamente insatisfeito com o debate dos que advogavam o *design* inteligente e com os ateus naturalistas. Tinha sede de respostas mais profundas. Por isso realizava uma mesa-redonda sobre suas gritantes inquietações, ainda que só se ouvisse sua voz.

— Responde-me, Eterno: ainda que sejas o Pai da tranquilidade, a ausência do espaço-tempo Te foi um "quarto escuro" inexprimível que Te produziu uma sede borbulhante de relacionamentos? Eu sou intelectualmente débil, mas permita-me Te perguntar: foi a eternidade passada uma prisão que provocou a abertura das janelas da Tua mente como Todo-Poderoso e gerou-Te uma explosão criativa, transformando-Te no Autor da existência desse insondável universo?

As pessoas que o ouviam se entreolhavam, tentando assimilar a dimensão da última pergunta. Mas não dava tempo. Toda a sequência de perguntas tinha uma lógica e preparava o terreno para ele abordar finalmente aquilo que tocava as entranhas do seu ser:

— O universo é um mero caldeirão de fenômenos físicos aleatórios ou existe para distrair Tua emoção? A humanidade é fruto do acaso da seleção natural ou existe para encantar Tua emoção e resolver Tua solidão?

Ao ouvir essas palavras, minha mente entrou num redemoinho reflexivo. Sabia que o Semeador de Ideias tinha sido um dos mais ardentes ateus da história. Mas mudara seu pensamento. No passado, ele pensava que a procura por Deus era fruto de um cérebro frágil e tímido, mas implodiu seu ateísmo depois que estudou sistematicamente a física, a psicologia e a filosofia do caos. Passou a entender que a busca por Deus por todos os povos em todas as eras, independentemente de uma religião, era um ato inteligentíssimo de um cérebro apaixonado pela existência, que procurava desesperadamente transcender o caos da inexistência na solidão de um túmulo.

Com o tempo, compreendeu que tanto o ateísmo radical como a religiosidade fundamentalista são sustentados por crenças em verdades inquestionáveis, gerando comportamentos exclusivistas. Duas semanas antes da notícia do ato terrorista, falou-nos das suas conclusões sobre o caos imposto pela morte.

Comentou que o corpo humano tem cerca de três trilhões de células, e nenhuma delas estava geneticamente programada para a solidão da inexistência, preparada para morrer. A morte era inevitável, mas não era natural para o código genético. Sobreviver era a meta última desse código. Por isso, quando uma pessoa entrava em qualquer situação de risco, bilhões de neurônios protestavam, produzindo milhares de reações para a fuga ou o enfrentamento do risco. Até o ato suicida gerava um protesto cerebral solene em favor da vida, capitaneado pela taquicardia e pelo aumento da frequência respiratória. Para ele, mesmo o câncer representava a sede pela continuidade da existência biológica, embora promovida por genes egocêntricos, e ainda que trouxesse graves consequências. A célula cancerígena abandonava a unidade corporal e seguia a carreira solo de ser eternamente jovem, multiplicando-se incontrolável e egoisticamente, gerando uma competição predatória por nutrientes com outras células.

O Semeador de Ideias devorava livros todas as noites. Sua mente era um caldeirão de informações das ciências naturais e humanas. O cardápio do conhecimento, para ele, não era compartimentado ou separado. Ao encerrar seu pensamento sobre a filosofia do caos, citou também as reações dos pensadores que o atravessaram e destacou Charles Darwin. Momentos antes de morrer, em meio a náuseas e vômitos, Darwin clamava: "Deus meu, Deus meu!". Disse-nos que o clamor de Darwin não era o reflexo de um cérebro frágil, mas de um cérebro que lutava bravamente pelo alívio e pela continuidade da existência, ainda que considerasse utopicamente a morte um processo natural.

Comentou que Darwin era um agnóstico, mas que tanto agnósticos como místicos, tanto ateus como não ateus, todos fogem inexoravelmente da mais penetrante solidão, a solidão da inexistência, a solidão de "não ser". A perda da consciência de si mesmo resultante da desorganização do córtex cerebral quando se morre e a consequente perda irreversível de bilhões de informações que financiam a identidade da personalidade geram o caos absoluto, unem o ser com o nada.

Na ocasião, para nosso espanto, disse-nos ainda que quem refletisse algumas horas sobre esse caos jamais seria o mesmo. Entenderia que a grande questão não era se Deus existe ou não, nem quem venceria o debate, se religiosos ou ateus. A grande questão era que Deus precisava existir, caso contrário, ateus e religiosos seriam ambos destroçados no caos da inexistência, extinguiriam-se a liberdade de ser e a de pensar. Teria de haver um Deus com uma capacidade muito maior do que qualquer imaginação religiosa para resgatar as informações do córtex cerebral que se perderam com a morte. Caso contrário, seríamos mera poeira cósmica. Alguns de nós estariam nas páginas da história para nos fazer pensar que fomos algo no passado e disfarçar o angustiante fato de que seremos nada, simplesmente nada, no futuro.

Ao recordar essas palavras, finalmente entendi que não era a solidão social ou a solidão do autoabandono que perturbava a mente do Semeador de Ideias e estimulava seu debate com Deus, mas a solidão da inexistência. Como era um homem que pensava muitíssimo, tentava sobreviver a essa solidão, à morte como fenômeno silenciador da vida, para ter esperança de que seus filhos não tivessem morrido irreversivelmente. Quase esgotado, continuou seu cálido questionamento. Dessa vez deixou embasbacados até os religiosos que odiaram os primeiros "embates". Entrou no campo que eles conheciam, mas não usou a espiritualidade, e sim os alicerces da psicologia. Ele amarrou as ideias que proferiu num feixe e lhes deu um choque intelectual. Constrangidos, engoliram a voz.

— Se conheces, oh! Altíssimo, minha mente, Tu sabes das indagações que me abalam. Diz-me: por que no primeiro mandamento suplicas aos seres humanos que Te amem acima de todas as coisas, de toda a sua alma, sua força e seu entendimento? Tal súplica não é estranha às teses sociais e políticas? Não está ela na contramão de todos os grandes líderes da história? Todos os reis exigiram a servidão. Todos os ditadores determinaram a obediência. Mesmo os políticos mais democráticos sonharam com a bajulação. Mas Tu, diferente deles, reivindicas o amor. Que necessidade psíquica é essa? Por que Te rebaixas a esse ponto de suplicar que Te amem? Não esconde esse mandamento subliminarmente Tua eterna solidão, forjada nas entranhas do Teu isolamento antes de existir o espaço-tempo, que anseia por ser saciada? Tua necessidade gritante de amor mostra que embora eu e Tu sejamos muitíssimos diferentes em poder, somos semelhantes em carências.

Nesse momento, parece que todos os presentes, inclusive os que o agrediram, foram conduzidos a um jardim por aquelas perguntas. O Semeador de Ideias desejou interromper sua fala, mas não conseguiu. Não queria concluir sua tese, pois ela defenderia Deus e o faria perdedor. Ela revelaria por que o Todo-Poderoso não agia na humanidade como ele desejava. Suas próprias palavras o abalaram.

— A súplica pelo amor dessa débil humanidade expressa uma procura por algo que Teu poder não pode Te propiciar. Teu poder pode fazer muito mais que minha imaginação consegue pensar, mas não pode fabricar seres que Te amem. Bem sei que o amor não pode ser comprado, negociado ou transferido. O amor não cresce no terreno da coação, da força e do controle. Ele exige os terrenos férteis da liberdade e espontaneidade para florescer. Só se ama quando se é livre! Por isso, Eterno, concluo que Teu Poder se tornou Teu grande problema. Se o usasses para resolver todas as dificuldades da humanidade, destruirias nossa liberdade e nos eximirias de nossa responsabilidade. Se atendesses a todos os desejos humanos na velocidade que queremos, em pouco tempo nós seríamos Teus deuses e Tu nos seria um servo. Quem Te amaria? Terias aduladores, interesseiros, mercantilistas, manipuladores, perdulários, pródigos, e não filhos que Te amariam pelo que Tu és.

Em seguida colocou as duas mãos no peito, fez uma pausa e, percebendo que tinha sido injusto com o Autor da existência, falou com brandura:

— Eu sei o que é ter aduladores! Hoje sou um indigente, um miserável que anda pelas ruas procurando entender o significado da existência. Mas já tive mais poder que reis e políticos. Fui aplaudido como raras celebridades, cortejado como poucos poderosos. Fileiras de pessoas gravitavam na órbita do que eu tinha. Tolo, pensei que elas me amavam. Ninguém passou no teste de estresse emocional. Quando perdi tudo, perdi todos. — Então ele chorou e acrescentou: — É melhor ser atirado entre os leões do que entre os bajuladores: os leões nos matam rapidamente; os bajuladores, aos poucos.

Fui torpedeado com essa ideia, porque, quando tive uma grave crise depressiva, meus amigos da universidade também sumiram. Não sobrou um intelectual ao meu lado. Após perceber que estava errado, o homem que seguíamos dissecou publicamente sua miserabilidade e reconheceu seus erros. Usou seu poder para comprar o que não está à venda no mercado.

— Como resolver a minha solidão? A saudade dos meus filhos me despedaça. Beijos, abraços, afagos, entregas, diálogos, atitudes tão simples, mas insubstituíveis. Viajei o mundo, percorri todos os continentes como um conquistador para descobrir que o que eu mais precisava, eu já possuía. E não valorizei.

Nesse momento, ao lembrar-se dos seus queridos filhos, colocou as mãos sobre a cabeça. Já não estava magoado com o Autor da existência, mas clamou, inconformado:

— Por que Te calas quando as crianças morrem soterradas em terremotos? Por que silencias quando a fome comprime seus magérrimos corpos? Por que não ages quando nos acidentes asfixiam-lhes os pulmões e estancam-lhes o fôlego de vida? Ou ages e não ficamos sabendo? Ou as acolhe em Teu peito, no seio da eternidade, quando seus pequenos corações deixam de pulsar e não nos contas? Se amas, sofres; se sofres, por que optas pelo silêncio? Teu silêncio sustentou por anos meu cético ateísmo! Choras nas próprias lágrimas das crianças? Tremulas na angústia inexprimível dos pais que perderam seus filhos? Eu Te convido a penetrar no turbilhão da minha culpa, nas entranhas da minha crise depressiva e no cárcere das minhas loucuras. Estou só, profundamente só. Tento Te esquecer, mas ocupas a pauta da minha mente.

Pela primeira vez olhou ao redor e viu a plateia com olhos lacrimejantes. E de súbito lembrou-se de Friedrich Nietzsche, o filósofo alemão que muitos consideravam um dos grandes ateus da história, mas que surpreendentemente era um antirreligioso, e não um ateu. Recitou para os céus o poema de Nietzsche, *Ao Deus desconhecido,* como se exalasse sua própria mente.

Antes de prosseguir em meu caminho e lançar o meu olhar para a frente uma vez mais, elevo, só, minhas mãos a Ti na direção de quem eu fujo.
A Ti, das profundezas de meu coração, tenho dedicado altares festivos para que, em cada momento, Tua voz me pudesse chamar.
Sobre esses altares estão gravados em fogo essas palavras: "Ao Deus desconhecido".
Teu, sou eu, embora até o presente tenha me associado aos sacrilégios.
Teu, sou eu, não obstante os laços que me puxam para o abismo.
Mesmo querendo fugir, sinto-me forçado a servir-Te.
Eu quero Te conhecer, desconhecido.
Tu, que me penetras a alma e, qual turbilhão, invades minha vida.
Tu, oh incompreensível, mas meu semelhante, eu quero Te conhecer.

Após recitar a poesia, fez uma pausa prolongada e suspirou profundamente. Aumentou o tom de voz e tocou em assuntos "proibitivos". Entrou nas fronteiras da psicologia e da sociologia. Aos brados, comoveu quem o escutava.

— Sabes o que é perder um filho? Choraste como eu chorei? Desesperaste como eu me desesperei? O que representa o carpinteiro de Nazaré para Ti? Apenas um filho da humanidade? Era Teu filho quem tremulava numa trave de madeira? Se era, foi a primeira vez na história que um pai viu um filho sangrar e não o resgatou, embora tivesse todo poder para fazê-lo. Não tive essa oportunidade. Por que não a aproveitou? No limite das suas forças, o homem Jesus abriu seus debilitados pulmões e clamou: "*Eli, Eli, lema sabactani?*" ("Deus meu, Deus meu, por que me abandonaste?"). Ele não Te pediu vingança, nem anestésicos, muito menos glória, mas simplesmente Teu ombro para chorar enquanto morria. A dor da solidão machucava-o mais do que a dor física. Mas Tu viraste o rosto para não vê-lo agonizar. Choraste de um lado, e ele do outro; foram as lágrimas mais angustiantes da história. Se esses fatos foram reais, enquanto Ele morria fisicamente, Tu "morrias" emocionalmente. Que sacrifício é esse, "oh! Desconhecido"? Seis horas de agonia foram mais longas do que a eternidade passada. Para quê? Para investir numa humanidade falida? Que amor é esse que chegou às últimas consequências? O Semeador tomou fôlego... e emendou:

— Não entendo esse amor, ele ultrapassa os limites da razão. Se preciso fosse, sangraria minhas mãos lapidando rochas para reencontrar meus filhos. Daria todo o dinheiro e os bens de uma vida inteira em troca de mais um dia com a presença deles. Seria objeto de vergonha social, atravessaria os vales do desprezo, aceitaria ser cuspido, vaiado, pisoteado e caluniado para tê--los em meus braços. Resgatá-los-ia dos destroços do avião em chamas vivas, se pudesse. Mas a morte enterrou meu cardápio de oportunidades...

De seus olhos corriam lágrimas como chuvas torrenciais. Não conseguia interromper as imagens dos últimos instantes com suas crianças e sua esposa.

— Filhos, sinto muito, tenho de viajar para o Oriente Médio urgentemente. Preciso me reunir com os príncipes do petróleo.

Julieta, a filha de sete anos, cabelos cacheados, ativa, alegre e intrépida, retrucou, entristecida:

— De novo, papai? Eu contei dez vezes que você desmarcou compromissos comigo nesse mês. Não foi no aniversário da Mariana, não foi no parque, não jogou vôlei comigo, não foi na reunião com os professores...

Em seguida, a menina parou de descrever as falhas do pai e agarrou seu pescoço e o beijou dez vezes para lembrá-lo dos dez compromissos desmarcados e para mostrar que, apesar de tudo, ela o amava intensamente, não pelo que ele tinha, mas pelo que era. Insistiu:

— Vamos, papai. Deixe as pessoas trabalharem para você. Vamos! — e delicadamente pegou suas mãos para levá-lo para o avião.

Ele ficou sem fôlego com o jeito meigo de Julieta. Fernando, de nove anos, orgulho do pai, humilde, afetivo, sociável, que gostava de ter longas conversas com os empregados da família, também o questionou:

— Não somos mais importantes do que seus compromissos, papai?

Constrangido, o pai afirmou:

— Sim, Dodô, sem dúvida! Mas trabalho para vocês.

Dodô era o nome carinhoso pelo qual chamava Fernando. A partir do segundo ano de vida, o menino começou a chamar seu avô, pai de seu pai, não de vovô, mas de Dodô, e o avô apelidou o menino com esse nome. A alegria do avô era o pequeno Dodô, mas faleceu cedo. Após o pai dizer que trabalhava para eles, o menino o golpeou profundamente com inteligência e afetividade:

— Mas, papai, de que adianta nos dar o mundo todo, se não temos o seu mundo, se não temos você...?

O poderoso homem caiu do céu para a terra. A frase penetrou como lâmina em sua mente.

Enquanto tentava se recompor, sua filha Julieta o abalou novamente, mais até do que seu filho:

— Vamos... fazer um trato, papai... Quero trocar todos os presentes que você vai me dar esse ano... — Enxugou os olhos com as mãos e completou: — ... por um só presente: passar uma semana inteira comigo!

Comovido e quase sem palavras, ele fez um sinal de continência para a filha, como se estivesse obedecendo às ordens de um general.

— Prometo, fofinha! — falou carinhosamente à filha.

Aquelas recordações perturbaram ainda mais sua mente naquela praça. Era um homem bom, um megaempresário preocupado com a sociedade e com projetos humanitários, mas fez do excesso de trabalho sua loucura. Era viciado em atividade, um escravo em uma sociedade livre, ótimo para o sistema, mas um carrasco dele mesmo.

Tentando esconder suas lágrimas, abraçou seus filhos e os beijou várias vezes, na testa, na cabeça e nas faces. Fez cócegas em Fernando, desmanchou os cabelos da pequena Julieta e completou:

— Aguardem-me, vou surpreendê-los. Acreditem, pegarei o próximo voo.

Momentos depois se voltou para sua esposa, Júlia, e lhe deu um prolongado beijo. Chamava-a carinhosamente de Morena, devido aos seus cacheados cabelos naturalmente escuros. Era uma mulher alta, esguia, bela.

— Morena, quanto mais passa o tempo, mais linda você fica.

Ela agradeceu, mas não conseguiu esconder sua cálida tristeza. E pela primeira vez foi completamente honesta com ele:

— Nós estamos perdendo você. Tenho muita saudade do tempo em que você vivia no anonimato e tinha pouco dinheiro. Cozinhávamos, brincávamos e sonhávamos juntos. Hoje, você é cortejado por príncipes e presidentes, passa mais de treze horas por dia trabalhando, viaja toda semana para um país diferente, faz reuniões de trabalho nos finais de semana. Até na cama sinto que você não é meu. Cadê o homem simples que me encantou?

Ele respirou profundamente. Suas dívidas realmente eram grandes. E as reconheceu.

— Sei que não sou mais o mesmo, Júlia. O excesso de compromissos furtou meu tempo e romantismo. Sinceras desculpas. — Parou por um momento de falar, pois sentiu um nó na garganta. — Mas creia, eu te amo. Deixarei o *front* das empresas e serei em breve apenas o presidente do conselho. Serei outro homem. Obrigado por não desistir de mim — e a beijou de novo, longamente.

Nisso, a funcionária da companhia anunciou a última chamada para o voo. Última chamada, últimos beijos, últimos abraços, últimos diálogos, último encontro. O multimilionário empobreceu ao máximo. Não teve tempo de reescrever os textos da sua história. Entre ele e sua família ficaram um eterno silêncio e um vazio inexprimível.

Após recapitular esses momentos, o Semeador de Ideias ergueu seus olhos para o alto e disse:

— Se és Todo-Poderoso e tens carência de amor, imagina eu, frágil, fóbico, que morro todos os dias um pouco. Se Tu tens solidão, imagina eu, que nem sequer vi os corpos de Fernando, Julieta e Júlia para enterrá-los. Não há células que em mim não doam nem ossos que em mim não gemam.

Apesar de estar na lona, derrotado, conseguiu se levantar cambaleante. Tomou fôlego e aumentou o tom das discussões. Quanto mais argumentava, mais sentia que estava perdendo o debate, porém resistia em se entregar.

— Sei que não és responsável pelas minhas falhas e omissões, mas, se Tu és o diretor do *script* da existência, por que não me ensinaste a matemática da emoção para poder apreçar o que não tem preço? Por que não gritaste aos meus ouvidos: "Ei! Louco, acorde!"? Por que eu fui o ateu dos ateus? Condenas os que não creem em Ti? Por que sou imperfeito, errante, débil? Acaso os que creem em Ti foram perfeitos? Os discípulos do homem Jesus não lhe davam frequentemente dores de cabeça?

Ele sabia que era indefensável, mas mesmo assim tentou fazer sua defesa tirando completamente sua máscara:

— O mais forte deles, Pedro, não Te negou três vezes vexatoriamente diante de servidores humildes? Sei que também Te neguei, e por dúzias de vezes, mas pelo menos foi para os grandes da sociedade. Judas, o mais culto dos discípulos, não Te traiu por trinta moedas de prata, pelo preço vil de um escravo? Também Te trai, eu sei, mas pelo menos fui mais inteligente que Judas. Dei-Te as costas por milhões de dólares, por toneladas de prata.

Caiu novamente de joelhos, esgotado, dilacerado. Quase sem forças, partiu para o embate final e disse suas últimas palavras:

— Mas escuta-me, Altíssimo. No ato da negação, o homem Jesus cruzou seu olhar com o de Pedro e espantosamente gritou sem dizer palavras: "Eu te compreendo! Eu te compreendo!". Que homem é esse que compreende os que o golpeiam? E, no ato da traição, chamou Judas de amigo, abrindo uma janela para que se repensasse. Que homem é esse que abraça os que o apunhalam? E eu? Quem compreendeu minha estupidez? Quem me chamou de amigo quando me desintegrava no caos? Pedro reescreveu sua história, e Judas, ao contrário, sucumbiu a ela, se puniu, se deprimiu e ceifou sua vida. Como ele, atolei-me na lama da culpa e da indecifrável perda. Puni-me, deprimi-me e, por fim, fui depositado como "objeto" num hospital psiquiátrico.

Todos me abandonaram, inclusive eu. E Tu? Tu me permitiste ser um colecionador de lágrimas.

Nesse momento, ajoelhado, tentava em vão enxugar suas lágrimas com as mãos. Um judeu ortodoxo, embora não concordasse com algumas das suas palavras, ficou embasbacado com seus argumentos. Juntou-se com um líder islamita, um sacerdote cristão e um monge budista, que também estavam perplexos com o que ouviram, e se aproximaram dele. Tomados por compaixão, levantaram-no e o abraçaram. Mancharam suas roupas de sangue, mas não se importaram. Perguntaram-lhe:

— Quem és tu?

— Quem sou? — Confuso pelo dramático estresse e pela violência dos traumas que sofrera, tentou responder: — Tento ser um pequeno semeador de ideias para dar significado à minha vida.

— Mas qual o teu nome? Onde moras?

— Não tenho morada certa, sou alguém em busca de mim mesmo.

Eles ficaram confusos. Sabiam, entretanto, que era um homem com uma dívida impagável. Tentando soprar-lhe uma brisa de consolo, acrescentaram a uma voz:

— Deus pode perdoar-te, meu filho.

O colecionador de lágrimas lhes agradeceu comovido e completou:

— Sei que o Artesão da existência pode perdoar as loucuras dos homens, e quem sabe as minhas também. Mas o meu problema é eu mesmo me perdoar.

Nesse instante, olhou ao redor e se viu rodeado de amigos que o amavam. Rico, viveu ilhado em meio a multidões; miserável, construiu notáveis relações. Chegou a vez de os discípulos ajudarem o Mestre. Usamos um dos seus cortantes pensamentos para instigá-lo:

— Mestre, não traia suas palavras. Você mesmo nos disse que a maior vingança contra um inimigo é perdoá-lo. Perdoe-o, e ele morrerá dentro de si; odeie-o, e ele viverá no centro da sua história e o aterrorizará dia e noite...

O intrigante debate que realizou, somado ao impacto de nossas palavras, refrigerou-lhe a mente, pelo menos um pouco. Era preciso aceitar sua falibilidade e deixar de mutilar sua emoção pela autopunição. Era preciso também sepultar seus filhos de uma vez por todas em seu psiquismo e continuar a escrever sua história.

Eram grandes decisões e, como tais, solitárias. Se não as tomasse, a perda se tornaria um cárcere psíquico, que bombardearia sua mente com ideias pessimistas; sua mente pessimista, então, asfixiaria seu prazer de viver e geraria uma depressão que se arrastaria continuamente e contaminaria toda sua agenda existencial. Transformar-se-ia num zumbi, num morto-vivo.

CAPÍTULO 2

Migalhas de prazer

O horror das páginas dos livros de sociologia, que discorriam sobre atrocidades e apedrejamentos públicos, se materializara diante de nossos olhos. Notícias de atos terroristas invadiam nossa mente quase todos os dias pela mídia, mas jamais imaginei presenciar um linchamento nesses modernos tempos. O Mestre estava com dores musculares, cefaleia, taquicardia, ofegante e com feridas abertas. Seu rosto continuava sangrando. Não podíamos levá-lo para casa, pois simplesmente não a possuíamos. Dormíamos nos bancos das praças, debaixo de pontes e viadutos, em albergues municipais, lugares indignos para um traumatizado.

Ele resistia a usar sua identidade, influência e poder. Diante disso, precisávamos conduzi-lo a um pronto-socorro ou um serviço de urgência médica que atendesse sem-tetos, paupérrimos da sociedade, sem plano de saúde. Com dificuldades e algumas doses de humilhação, conseguimos interná-lo.

Logo que me despedi dele e saí do hospital, tive uma surpresa não tão grata. Três professores de sociologia que trabalhavam na mesma universidade que eu e que me auxiliavam quando era chefe do departamento me aguardavam. Havia quase um ano que não nos víamos, pois, por carta, pedira licença da universidade para seguir o enigmático homem. Não sabia quanto tempo duraria minha jornada sociológica como discípulo, só sabia que era uma caminhada intelectualmente excitante, embora saturada de acidentes.

Preocupados com meu desaparecimento, esses colegas passaram a me procurar. Depois de acurada investigação, me encontraram e me separaram do grupo de discípulos. Olharam demoradamente para minhas vestes amarrotadas, com duas pequenas manchas de sangue, uma no lado direito do tórax e outra no abdômen, para minha barba malfeita e meus cabelos que não viam pente havia alguns dias. Ficaram perplexos. Não me abraçaram, não mostraram satisfação ao me ver, nem sequer sorriram. Senti-me como um leproso numa sociedade preconceituosa. Indignados, teceram críticas como se eu fosse um psicótico. Nenhum dos três presenciou o debate que o Mestre fizera havia poucas horas em praça pública, mas todos eles sabiam que eu seguia um personagem estranho. Um deles, David, tomou a frente e me repreendeu:

— Você ficou louco, Júlio César? Como é possível o conceituado chefe de departamento de sociologia seguir um... um perturbado... um maluco, um iletrado? Que escândalo para nossa universidade!

Para esse professor, a imagem da instituição estava em primeiro plano, e eu, em segundo. Outro professor, Michael, que admirava meu intelecto, mas não meu caráter autoritário, e que tinha sido meu desafeto confesso no passado, apontou as "notáveis" características de minha personalidade:

— Você era orgulhoso, agressivo, obsessivo e, às vezes, insuportável, mas todos reconheciam sua genialidade. Como pôde abandonar tudo?

O terceiro, William, que de fato era um amigo, observou:

— Você era imbatível nos discursos e ferino nas redações dos seus artigos, capaz de encantar até os leigos em sociologia. Mas agora...! Olhe para si mesmo! Jamais se ouviu falar, na história da academia, de um intelectual capaz de deixar tudo, a não ser que... — Não teve coragem de completar a frase. Então, eu mesmo a completei:

— ... esteja mentalmente doente! Julgam que sou um doente mental pelas minhas vestes ou pelas minhas ideias?

Quando dirigia o departamento de sociologia da minha respeitada universidade e eles se reportavam a mim como professores, atravessei um longo inverno emocional. Mas ninguém percebeu meu drama. Para eles, os intelectuais não se fragilizam, não se deprimem, não têm ataques de pânico, não precisam de um ombro para chorar. Na realidade, pela cultura que possuíam, deveriam ser os primeiros a declarar sua doença, mas são obrigados a usar a arte dos disfarces para não serem excluídos. Eu era um mestre nessa arte, até que me despedacei. Não tinha coragem para lhes contar sobre minhas mazelas psíquicas, e eles não tinham ousadia para me perguntar. Fingíamos ser normais. As universidades não apoiam nem recolhem seus feridos. O Semeador de Ideias sabia disso, por isso no passado fizera este comentário: "Quanto mais conhecimento acadêmico, mais aumenta a probabilidade de dissimulação e de isolamento interior, e mais se expande a solidão".

O Mestre amava a filosofia mais do que qualquer filósofo que eu conhecera. Para ele, o isolamento social era um problema, mas a solidão em que o ser humano perde o contato mais profundo consigo mesmo era muito mais grave. Certa vez, um cientista da física que considerava a filosofia inútil lhe perguntou com ar de deboche: "Para que serve a filosofia?". Ele citou o filósofo grego Antítese: "Para falar comigo mesmo".

Se nós, intelectuais, nos calamos sobre nossas dores com nós mesmos que dirá com os outros? Mas nunca ensinei e nunca fui ensinado a falar com meus fantasmas; só agora, com esse maltrapilho, estou aprendendo essas lições básicas que toda criança deveria aprender. Eu, um crítico social, um expoente das ciências humanas, nunca pensei que falar comigo mesmo seria um ato tão inteligente como fazer a higiene bucal. Era livre para ir e vir, mas escravo do pensar e sentir. Agora que estou encontrando minha liberdade, esses três colegas me atiram pedras. Humilhado, não sei se tentei lhes explicar o inexplicável ou instigá-los. Disse-lhes uma heresia:

— Sigo um engenheiro de novas de ideias.

— Engenheiro de ideias? Que delírio é esse, homem? Todos nós sabemos que você é um gênio e um especialista em testes de QI. Sabe, portanto, que a fonte das ideias se encontra nas universidades, nos livros e nos artigos, e não nas ruas nem nesses... nesses vendedores de ilusões, nesses messias de plantão! — retrucou David, com a concordância dos outros.

Eu já pensara como eles e, como eles, usara meu conhecimento acadêmico como uma religião fundamentalista. Quem estivesse fora do templo da universidade e não tivesse títulos de pós-graduação nem publicasse artigos deveria ser excluído pelos sacerdotes do conhecimento. Altivos, o olhávamos de cima a baixo como se pertencente à plebe intelectual. Tapávamos os ouvidos. Indignado, provoquei-os:

— Nós, intelectuais, somos as mentes mais abertas do tecido social ou figuramos entre as mentes mais engessadas?

— Somos mentes abertas! — reagiram eles, sem margem para insegurança.

— Mentes abertas? Então, sejam honestos: vocês teriam coragem de dar o espaço da sua aula para um maltrapilho falar?

Ficaram sem ação. E completei:

— Duvido! Ou, então, ouviriam sem preconceito alguém que não tem títulos acadêmicos lhes dar uma aula na área em que são especialistas? Duvido! Não deixamos sequer nossos alunos nos questionar! Transformamo-nos numa plateia de mudos, não promovemos a ousadia, a rebeldia das ideias, o debate. Nós nos esquecemos de que as grandes teorias, como as de Galileu, Einstein, Freud, Piaget, Marx, Max Weber, foram produzidas fora dos muros acadêmicos, no ambiente livre e rebelde da arte de pensar. Só depois elas foram incorporadas pelas universidades e se tornaram fontes de pesquisas e de teses.

Vendo-os encurralados e calados, aproveitei para ir direto à jugular desses notáveis, mas rígidos, intelectuais. Já que disseram que sigo um messias de plantão, provoquei-os no campo em que eram peritos, a sociologia da religião:

— Se Jesus Cristo viesse hoje, seria ele crucificado? Claro, refiro-me a outras formas de crucificação além da cruz: a exclusão, a calúnia, o deboche, o desprezo, os rótulos de louco, insano, psicótico — e citei duas de suas teses sociológicas: "Felizes os mansos porque herdarão a terra!" e "Abracem seus inimigos e tenham sublimes afetos por eles". — Enfim, sua agenda social seria aceita?

Eles ficaram apreensivos em responder. Sabiam que, no tempo em que os chefiava, fazia muitas perguntas para enredá-los em suas próprias respostas. Mas, instigados pelo desafio intelectual, responderam. David, de origem judaica, foi o primeiro que se atreveu:

— Bem sabes que, embora admire muito as teses de Jesus, não o aceito como o Cristo. Suas ideias sociológicas foram e seriam um escândalo na atualidade. Os mansos nunca herdam a terra nem todo o simbolismo social que ela representa, e sim os agressivos, os poderosos, os que lutam com unhas e dentes por seu espaço.

— Se insistisse nelas, seria ele crucificado mil vezes — respondeu Michael. — E, além disso, se não há estoque emocional para amar nesses tempos modernos os que nos dão retorno, quanto mais para amar os que nos perturbam, os inimigos. Suas ideias contrapõem-se à agenda emocional das sociedades modernas. Provavelmente não seria reconhecido por muitas religiões que o exaltam!

— Por quem mais não seria reconhecido? — indaguei.

— Inclusive por alguns notáveis teólogos que o estudam sistematicamente e desconhecem a afetividade e a generosidade com que ele viveu — respondeu William, o meu amigo.

Nesse momento, respirei fundo e lhes perguntei:

— E pelas universidades? E pelos sacerdotes do conhecimento, seria o homem Jesus aclamado ou execrado?

Ficaram mudos por instantes. Mas insisti, porque queria usar a resposta deles para minha defesa. E comentei:

— Ele disse: "Quem quer ser o maior na sociedade, deveria servir ao menor, honrá-lo, cuidá-lo, protegê-lo". Os grandes teriam de se fazer pequenos para elevar os pequenos. O maior lucro não seria ter, mas dividir, doar-se. Ele inverteu completamente a hierarquia social. Nem os socialistas utópicos, como o inglês Robert Owen e o francês Charles Fourier, foram tão longe. Se há pobres por toda parte, na Utopia elimina-se a pobreza; se há desperdício na produção e distribuição de mercadorias, na Utopia formula-se um método de produção e distribuição 100% eficiente; se há miséria, doença e angústia, na Utopia cria-se um ambiente onde há saúde, riqueza e felicidade para todos.

Porém na Utopia Socialista fica intocável a mudança de dentro para fora, a transformação da natureza humana, proposta pelo Mestre dos mestres.

E ainda comentei que Jesus não ficou no discurso. Viveu na plenitude o que discursava: ele mesmo se fez pequeno para tornar os pequenos grandes. Somente isso explicava por que, no auge da fama, abaixou-se diante dos jovens galileus saturados de conflitos que o seguiam e lavou seus pés, produzindo um símbolo escandaloso de doação. Depois dessa exposição, perguntei-lhes:

— Que aluno rebelde é acolhido desse modo pelos intelectuais nas faculdades? Que professor com postura crítica, mas sem expressão acadêmica, é exaltado pelos notáveis da academia? Que pessoa depressiva, nos espaços das universidades, recebe votos solenes de solidariedade?

Em seguida, cheguei aonde pretendia. Desferi-lhes, magoado, o golpe fatal.

— Estive no topo da carreira acadêmica. Hoje, vejam o que sou. Sou um maltrapilho, um mendigo, pequeno em relação a vocês. Mas vocês não me protegeram nem demonstraram generosidade. Pisotearam-me sem sequer ouvir meus argumentos!

Calaram-se. Sabiam que, no fundo, as universidades se distanciaram da democracia das ideias, deixaram de ser "universalidade de conhecimento e opiniões". As consequências disso eram gravíssimas; muitos notáveis, professores e cientistas, eram silenciados. E, pior, não estávamos formando alunos coletivamente afetivos, tolerantes, compassivos, críticos, ousados, criativos, idealistas, estrategistas, debatedores, hábeis no raciocínio esquemático e sintético. Nós estávamos transformando os jovens em uma plateia de espectadores e recitadores de informações, e não em pensadores. O futuro da humanidade estava comprometido. Os homens que estarão à frente dos problemas mundiais serão, em sua maioria, meninos despreparados para seus desafios. Diante disso, confessei minha parcela de culpa nesse processo.

— Eu, vergonhosamente, confesso que silenciei vários alunos e professores, inclusive nas teses que orientei. Peço a vocês o que nunca dei, reconheço. E só agora vejo as loucuras socialmente aceitas que cometi. Sim, como disseram, eu era considerado um gênio e um especialista em testes de QI. Meu QI atingia 140 pontos, para uma média europeia de 100 e americana de 98. Mas que gênio era esse que bloqueava a mente dos outros? Que gênio era esse que não sabia ser confrontado nem proteger sua psique contra pensamentos pessimistas e mórbidos? Sim, que gênio era eu que não sabia o que fazer com a dor psíquica, que, em vez de pensar em mil soluções, pensou em se matar para se aliviar?

Meus colegas nunca tinham me ouvido falar de um modo tão cru, honesto, transparente. E continuei, dizendo que comecei não apenas a me questionar, mas também a questionar a genialidade de origem genética, em que o armazém do córtex cerebral tem grande espaço para empilhar informações. Nesse tipo de genialidade, a memória é privilegiada em algumas áreas, levando ao desenvolvimento de habilidades pontuais, como nas artes, nos cálculos matemáticos, na construção de programas de computador. O gênio genético, por ter uma memória privilegiada, tem grande poder de lembrança, é detalhista em sua área de afinidade. Mas, ao andar com o Semeador de Ideias, minha mente se abriu para outra genialidade, a funcional, provocada, aprendida, que, em tese, todo ser humano pode e deve desenvolver. Uma genialidade que organiza, sintetiza e rearranja os dados de maneira nova, produzindo novas ideias.

Seus discípulos, como Bartolomeu, Barnabé e Dimas, eram da pior estirpe social e intelectual, não tinham aparentemente um grande armazém do córtex cerebral; portanto, não eram peritos em resgate de dados. Eram "mentes esquecidas", desconcentradas, desorganizadas, mas foram instigados a libertar seu imaginário, a pensar antes de reagir, criar e se reinventar. Era difícil explicar a universidade das ruas, que vivi e presenciei, para os sociólogos que me interrogavam. Mas tentei.

— Esse maltrapilho que vocês repugnam abriu as janelas da minha inteligência e me fez penetrar em camadas mais profundas do meu próprio ser. Estou caminhando por áreas que jamais percorri.

Apesar de abalados, eles ainda me rechaçaram.

— Que linguagem é essa? Cadê o socialista de renome? O crítico ardente das loucuras do capitalismo? — indagaram David e Michael, os dois mais distantes de mim.

— Onde está o ilustre professor especialista em marxismo e orientador de mestres e doutores? — perguntou William, que era chegado a mim.

— Não sei onde estou, mas sei o que sou, pelo menos um pouco. Sei que eu estava doente, formando alunos despreparados para uma sociedade doente. E vocês?

Sentiram-se aporrinhados. Calaram-se por um momento, mas não se renderam. Tentaram se excluir dessa minha tese.

— Nós? Nós não estamos doentes — responderam apressadamente. Sem titubear, repliquei:

— Educamos alunos numa estufa, num ambiente controlado, damos-lhes um diploma e os atiramos numa cova de leões, saturada de desafios que nunca viram, cujo cardápio envolve perdas, frustrações, decepções, competição predatória, cooperação sinérgica. Desde que passassem nas provas, não me importava se eram mentes agitadas, inquietas, tímidas, inseguras, fóbicas, depressivas, obsessivas. Nunca abri espaço numa aula, em mais de quinze anos como professor universitário, para perguntar sobre os medos, angústias, projetos e pesadelos deles. Tratei-os como máquinas de aprender. E vocês?

O ritual imposto pelos templos das universidades tinha dívidas enormes com a formação de pensadores. Era fácil aplicar provas, corrigi-las e se proteger atrás das notas. As provas assassinavam alunos com grande potencial, mas que não conseguiam se enquadrar na cartilha do sistema educacional. E, assim, eram tachados de relapsos, alienados, deficientes e outros rótulos afins. Depois ficávamos escandalizados quando alguns deles se suicidavam, cometiam crimes, tornavam-se carrascos sociais. Só alguns "Einsteins" sobreviviam e brilhavam.

Abalados, eles mudaram de assunto. Voltaram-se para a minha miserabilidade. William, querendo me retirar das ruas de qualquer maneira, foi implacável:

— Olhe para ti! Vives no esgoto da sociedade e achas que pode mudar o sistema social?

Respirei prolongadamente. Recordei as palavras simples e cortantes que o Semeador de Ideias proferira exatamente sobre esse esgoto. E as reproduzi:

— Cada vez mais somos uma senha, um número de identidade, de passaporte, e não seres humanos complexos. Estamos perdendo nossa essência. Construímos um esgoto social do qual ninguém escapa. Uns admitem nele habitar, outros negam sua existência, mas todos vivem em seus porões.

Vendo que não mudariam meu pensamento, os professores de sociologia saíram inconformados. Se pudessem, me internariam no primeiro hospício que encontrassem. Mas um deles, David, que pensei que me odiasse, voltou e me surpreendeu:

— É estranho, mas você não perdeu sua lucidez, pelo contrário. Meu respeito pela sua inteligência se converteu, hoje, em admiração.

Deu-me um abraço afetuoso e saiu. Não teve vergonha de mim nem das minhas vestes.

Alegrei-me por sua atitude. Eles nem imaginam qual é a identidade do homem que sigo. Se soubessem, seu espanto daria espaço à perplexidade. Nas últimas semanas, o Mestre segredou-me um projeto, que havia tempos estava maturando em sua mente, e que me encantou e perturbou.

Falou da necessidade de construir a sociedade dos sonhos, fraterna, livre, pautada pelo diálogo e pelo respeito aos direitos humanos, em que jovens, homens e mulheres fossem educados a ter consciência crítica, a ser generosos, solidários, altruístas, e a aprender a expor, e não a impor, suas ideias, crenças e princípios. Uma sociedade em que a educação se tornasse o centro das atenções sociais, em que se superasse a necessidade neurótica de poder, de controlar os outros e de estar em evidência social, em que o medo uns dos outros desse lugar à confiabilidade, as ideias fossem mais fortes que as armas, em que a transparência, a honestidade e a capacidade de ser fiel à própria consciência fossem mais importantes que os códigos jurídicos que regulam os comportamentos.

Uma sociedade em que o consumismo fosse transformado em sede de conhecimento e em que cada pessoa respeitasse sua cultura, crenças políticas e religiosas, mas as transcendesse por aprender a pensar como espécie e, como tal, se tornasse assim um ser humano sem fronteira. Uma sociedade em que finalmente o homem fizesse as pazes com a natureza e se colocasse como seu hóspede, e não como seu proprietário.

Fui às nuvens com sua abordagem. A sociedade dos sonhos seria a aspiração de muitos sociólogos humanistas que entendiam que a sociedade de consumo estava num processo de falência. Mas como consegui-la? Como alcançá-la? O socialismo falhou, o capitalismo está falhando, e as religiões construíam poucas pontes entre os que pensavam diferente. Essa sociedade não podia ser imposta de cima para baixo, não podia ser, portanto, de origem política. Tinha de ser de dentro para fora. Então ele afirmou: "Educação, educação, e doses maiores de educação. Somente a educação que arremessa os alunos para dentro de si mesmos pode transformar o ser humano e nos levar a pensar como espécie, e não como grupo social. Enquanto os europeus pensarem como europeus, chineses como chineses, e americanos pensarem 'para' e 'nos' limites do seu território, não haverá caminho. Em todas as escolas do mundo moderno deveria haver uma disciplina que ensinasse os alunos a ser seres humanos sem fronteiras, a pensar como família humana. O conflito no Oriente Médio, a fome na África Subsaariana, a violação dos direitos humanos deixariam de ser meramente problemas locais para se tornar da espécie humana. As decisões políticas seriam locais, mas o envolvimento, universal, atingiria os seres humanos de todo o globo, com toda sua capacidade de reivindicar, pressionar e protestar. A família nuclear, pais e filhos, por mais problemas que tenha, é a única instituição que se preservou na história. A espécie humana deveria se portar como uma grande família nuclear".

Comentou, então, que as pessoas nessa nova sociedade não se portariam como espectadores passivos dos noticiários da mídia, mas como atores ativos. Sentenciou que, se não aprendermos a pensar como espécie, em um século a humanidade será inviável. E disse algo espantoso: o homem que mais divulgou a tese sociológica do ser humano sem fronteira foi o mais famoso dos judeus. Mas afirmou, como eu sabia, que infelizmente esse homem espetacular só havia sido estudado ao longo das eras sob o ângulo da teologia, e não das ciências humanas.

Quando indagavam sua identidade, há dois milênios, ele solenemente dizia que era o filho da humanidade, o filho do homem. Uma resposta psicológica e sociologicamente assombrosa, tão surpreendente que foi única na história. Chamou a si mesmo por 66 vezes filho da humanidade. Não queria que ninguém, nem judeus, romanos ou gregos, lhe colocassem rótulos, títulos, estereótipos, raça ou cor.

Como ser humano sem fronteira, ele exalou afetividade e altruísmo, abraçou leprosos como amigos íntimos e acolheu prostitutas como rainhas. Deu pleno crédito aos miseráveis e apostou tudo o que tinha nos excluídos. Ninguém era suficientemente débil, louco, antiético, corrupto ou diferente para estar fora do seu projeto. Sua humanidade sempre chocou os povos, inclusive os cristãos, que frequentemente se ilham em milhares de religiões.

Após esse relato, o Mestre aproveitou para apontar dois fenômenos das sociedades modernas que estavam asfixiando o *Homo sapiens* e transformando-o em qualquer coisa, menos em seres humanos: "Primeiro, a indústria da pressa. Ela está assassinando a tranquilidade, das crianças aos adultos. A travessia é mais importante que a chegada, a jornada é mais nobre que o pódio, mas nos importamos com o fim, e não com o processo. Segundo, a indústria do sucesso. O sucesso pelo sucesso está asfixiando o prazer de viver e a dignidade humana. A paranoia de ser o número um, desenvolvida pelas empresas e pelas pessoas, é insana. É possível ser digno sendo o número cinco, dez ou o último. Uma sociedade que aplaude solenemente os que atingem o pódio e silencia-se perante os demais produz canibalismo, e não cooperação",

Para ele, as sociedades atuais estão produzindo uma indústria de miseráveis. Como sociólogo, assombrava-me ao ouvi-lo dizer que todo ser humano é carente. "A alguns falta o pão na mesa; outros têm a mesa farta, mas mendigam o pão da alegria. Uns têm nobres mobílias, mas não têm conforto; outros mal têm onde recostar suas costas, mas têm descanso."

Ponderava sobre essas ideias enquanto ele estava internado no hospital, devido ao quase linchamento que sofrera. Minha tese de doutoramento em sociologia defendia que a falta de moradia era uma das mais graves injustiças sociais. A partir desse momento, tornei-me um crítico dos burgueses, dos milionários, dos que voavam de primeira classe e viviam como nababos em suas casas de veraneio. Mas, ao andar com esse multimilionário na pele de um maltrapilho, comecei também a ter compaixão pelos abastados. Os pobres tinham o sistema social como seu carrasco, e os abastados, por viverem debaixo de acirrada competição e colocarem metas altas para si, tinham o sistema e a eles mesmos como seus algozes.

A miserabilidade psíquica expandia-se e não escolhia classes sociais. O século XXI, marcado pela tecnologia, transformou-se no século dos transtornos emocionais, dos novos mendigos, dos que sobreviviam de migalhas de alegria e de tranquilidade. A depressão, a ansiedade, as doenças psicossomáticas alastravam-se na era dos computadores e dos robôs. Era o século em que a sociologia e a psicologia entraram em pânico.

CAPÍTULO 3

O instinto animal e a educação

O Mestre recebeu alta no dia seguinte, com doze pontos em três cortes na face. Estava com áreas inchadas e com hematomas ao redor dos olhos e do lábio inferior. Era penoso ver alguém tão dócil ser alvo de violências atrozes. Aproximei-me dele e expressei, comovido:

— Que bom vê-lo! Como está, Mestre?

— Dolorido por fora, menos angustiado por dentro. — Ele emitiu um suspiro.

— Mas precisa ainda de cuidado — disse a professora Jurema, a discípula mais idosa do grupo. Estava inconformada com as agressões que ele tinha sofrido. Era visível que não estava restabelecido, mas não podia ficar mais tempo no serviço gratuito.

Procuramos um lugar para nos sentar. Encontramos as escadarias de um velho cinema. Sem reclamar, ele fez uma expressão de dor ao se recostar. Enquanto nos acomodávamos, um vento sul revoou seus cabelos, e ele se deixou invadir pela brisa e pelo silêncio.

Queria que nós mesmos iniciássemos o diálogo e, quem sabe, mais um de nossos debates.

Salomão, o jovem discípulo, tomou a iniciativa. Queria tentar animá-lo. Fora um jovem sofrido, tratado como escória social devido aos seus comportamentos compulsivos. O Mestre o acolhera como um filho, protegia-o e sonhava que ele gerenciasse suas ideias fixas e rompesse progressivamente o cárcere da rejeição, mesmo que ainda manifestasse seus tiques, como bater no peito e na testa repetidamente. Mas estava fazendo progressos. Nesse momento Salomão soltou a frase que mais gostava de usar:

— Mestre, os melhores dias estão por vir.

Era um pensamento simples, sem grande alcance intelectual, mas regado a esperança. No entanto, era difícil olhar para o horizonte e não se assustar com as dramáticas tempestades que se anunciavam, que provavelmente cairiam sobre ele e respingariam fortemente em nós.

Mônica, a modelo que o seguia, ao focalizar seus edemas e suas feridas, comentou abalada:

— Somos uma nação moderna, mas a usina do preconceito não foi dizimada. Que atrocidades cometeram contra você?

Mônica tinha sido vítima do preconceito. Ganhara cinco quilos, tornando-se mais bela do que era, mas não para o tirânico mundo das passarelas. A partir desse momento, comecei a perceber que ela o olhava de maneira diferente. Expressava uma ternura que ultrapassava os limites da admiração por suas ideias.

Apesar de ele ter sido a vítima e nós, os espectadores, ele tentou acalmar Mônica, bem como todo o grupo, com esta observação:

— Uns agridem o corpo com gestos; outros, o intelecto com palavras; e ainda outros, a emoção com a indiferença. A agressividade está presente no código genético do *Homo sapiens*. A lei não pode aboli-la, apenas reprimi-la. Só a educação pode domesticá-la.

Fiquei pensando nessa tese. "Se ela está correta, a evolução social não é contínua; uma geração generosa e tolerante pode ser sucedida por uma violenta e exclusivista. Bastava a educação falhar em transmitir para a próxima geração suas mais ricas experiências, e os instintos voltariam a governar".

Os acontecimentos naquela praça correram o mundo. Não apenas eu fazia anotações dos seus passos; muitas pessoas registravam suas reações e as colocavam na internet. Quanto mais denunciava a sociedade e tumultuava o ambiente, mais comunidades virtuais se formavam em torno dele. Várias delas tratavam da identidade do Mestre: "Quem é o misterioso personagem que agita a cidade?", "Qual o nome e a história do homem que quer desconstruir nossa sociedade?", "É um socialista ou um capitalista?". Existiam comunidades que diziam que ele era um pensador, um filósofo, um psicótico e até o anticristo.

O certo era que formávamos um bando de desajustados seguindo um fascinante maltrapilho que não defendia uma religião nem um regime político. O número de pessoas que faziam comentários sobre ele crescia exponencialmente dia a dia. Ao todo, havia mais de cem comunidades, com cerca de dois milhões de participantes em mais de cem nações.

Havia um grupo de discípulos próximos que o seguia presencialmente e milhares de seguidores eventuais, que apareciam de vez em quando. Rejeitava drasticamente a palavra "guru", pois não era místico nem religioso, não controlava ninguém e não distribuía conselhos. Sua especialidade era provocar a inteligência dos ouvintes para que procurassem, como um sedento em terra seca, uma mente aberta, seja na sua religião, em seu grupo político, na universidade, nas empresas. Nem eu, que registrava seus passos e palavras, conseguia defini-lo.

Três discípulos foram acrescentados ao grupo íntimo de seguidores do Semeador de Ideias. Eles foram agregados após ouvirem suas cortantes palavras em praça pública. Deng, um budista proprietário de um restaurante chinês, Jacob, um judeu dono de um banco que foi à bancarrota, e Salim, um muçulmano que era ex-funcionário de uma companhia aérea. Quando o Mestre os admitiu, falei ao seu ouvido:

— Mestre, juntar judeu com árabe não vai dar certo.

Eu já tinha problemas em conviver com Bartolomeu e Barnabé e não estava preparado para lidar com mentes tão diferentes. Mas calmamente ele me repreendeu:

— Não seja estreito, Júlio César — E aproveitou para chamar Jacob e Salim para escutarem também o que ia dizer para mim: — Os fracos rejeitam, os fortes incluem. Nosso objetivo não é ganhar a guerra da discussão, mas a da conquista de um pelo outro. A unanimidade é desinteligente, insana, burra. A diversidade de cultura e de opiniões não exige concordância de ideias, mas respeito solene pelas diferenças.

Salim abraçou Jacob, e ambos entenderam a agenda que deveriam seguir se quisessem andar próximos desse intrigante homem. Éramos onze, um número pequeno, mas que refletia uma grande salada cultural. Culturas e comportamentos distintos, opiniões divergentes; tínhamos tudo para não dar certo. Atritos, discórdias, decepções faziam parte do pão nosso de cada dia, afetando nossa restrita paciência. Mas o Mestre era um artesão da inteligência, e só não enfartava porque não tinha a ilusão de nos mudar. Cada palavra, gesto ou pensamento que dirigia a um de nós alimentava e, não poucas vezes, abalava o outro. Era um construtor de pontes emocionais.

Estávamos numa via de circulação rápida. O trânsito era infernal. Ele novamente recostou-se na mureta da velha escadaria de mármore branco. Barnabé, o discípulo que amava a boemia e se achava um grande político, daí seu apelido de Prefeito, rememorando a violência que o Mestre sofrera no dia anterior, disse heroicamente:

— Quase perdi a compostura e dei umas bolachas nos que te agrediram.

Bartolomeu, vulgo Boquinha, o outro alcoólatra hiperfalante, que se achava superinteligente, emendou:

— Eu muito mais! Por pouco minha musculatura não falou mais alto que minha lucidez.

Barnabé e Bartolomeu amavam competir um com o outro, mesmo quando queriam mostrar quanto eram fiéis ao Semeador de Ideias. Mas ele fez uma pausa e se dirigiu aos dois criticamente:

— Desculpem-me, amigos, não preciso de heróis ao meu lado, mas de pessoas que compreendam minha fragilidade e respeitem a sua.

Bartolomeu e o Prefeito perceberam que tinham exagerado. Ele sofrera muito na fatídica praça, não era momento para seus discípulos mostrarem heroísmo e exaltação. Apesar de amarem o Mestre, não perdiam a oportunidade de ser o centro das atenções. Ele os admirava e se divertia com eles, mas havia limites. Jacob e Salim se entreolharam, sentindo que o homem que seguiam queria que eles fossem humanos, apenas humanos, e, como tais, conscientes de que são imperfeitos e mortais.

De repente, olhei no horizonte e vi quatro homens estranhos que pareciam ler um jornal, mas em alguns momentos dirigiam-nos um olhar furtivo. Sutilmente tentei me aproximar. Senti um nó na garganta ao ler os lábios trêmulos de um deles:

— É ele! Mellon Lincoln está vivo! Não pode ser!

O sujeito que fez a expressão de espanto não parecia um bandido, pelo menos não no sentido clássico. Trajava terno preto com corte italiano impecável, gravata de seda, sapatos de couro e relógio de ouro reluzente. Tive a impressão de que aquele estranho conhecia o Mestre intimamente. Parecia que preferia ver o diabo na cruz a ter a certeza de que o homem que seguíamos estivesse vivo.

Retornei ao grupo. Mas, então, não estava mais preocupado com as pedras que lhe tinham atirado, e sim com a arma que poderia estar apontada para ele e, quem sabe, para nós. Uma chacina poderia acontecer em breve. Se derrubaram um avião para tentar destruí-lo, o que não poderiam fazer com o bando de desprotegidos que o seguiam?

Chamei Bartolomeu e Barnabé de lado e comuniquei-lhes minha suspeita. Ambos eram bons de garganta, mas também fóbicos como eu. Provocando-me, o Prefeito falou:

— Estou vendo uma arma apontada para sua cabeça.

Rangi os dentes. Mas olhei para o seu corpanzil, um terço mais pesado que o meu corpo, e dei o troco:

— E eu vejo um rifle apontado para o seu imenso traseiro. E será fácil acertar.

Barnabé, deveras preocupado, estufou o peito, arrumou a cintura e não quis pagar para ver. Saiu depressa. Nós o seguimos. Pegamos nos braços do Mestre e, trêmulos, o tiramos daquele cenário. Não lhe dissemos nada naquele momento para não abalar o resto do grupo.

CAPÍTULO 4

A revelação do maltrapilho

Três dias depois, o Semeador de Ideias chamou o grupo íntimo de discípulos para uma conversa franca sobre sua identidade e sua história. Foi o primeiro diálogo aberto e sem reservas sobre ele em quase um ano em que o seguíamos. Ele queria que estivéssemos conscientes dos riscos que corríamos e nos encorajar a abandoná-lo definitivamente. Estávamos no pátio de uma velha fábrica abandonada, um lugar calmo, sem flores, mas também sem poluição sonora. Uns se sentaram em bancos; outros, no chão. Após um sublime momento de silêncio, o Semeador começou a dissecar sua história sem meias palavras:

— Sou Mellon Lincoln. Dirigi o clube dos cem homens mais ricos da Terra listado pela revista *Forbes*. Vocês conhecem um lado da moeda da minha personalidade. Precisam conhecer o outro. Era ambicioso? Sim! Fui embriagado pelo sucesso? Sim! Fui seduzido pela fama? Sim. Competia ansiosamente com os outros? Sim!

Fomos ficando rubros ao vê-lo se autodescrever. Não parecia a mesma pessoa. E continuou:

— Mas comecei a tomar consciência de que essas drogas estavam percorrendo minhas artérias mentais e passei a lutar contra elas. Tornei-me pouco a pouco um estranho no ninho dos bilionários. Dos espaços mais íntimos da minha alma surgiu o desejo de romper o cárcere da ambição e usar meu poder, dinheiro e influência para contribuir com a sociedade. Percebi que os ideais da Revolução Francesa, de liberdade, igualdade e fraternidade, estavam se dissipando na sociedade digital. Éramos livres por fora, mas não em nossa mente. Éramos iguais exteriormente, íamos ao cinema, teatro, *shoppings*, mas não sabíamos penetrar nos espaços psíquicos uns dos outros. Éramos fraternos nos discursos, mas agíamos como um grupo de estranhos. Entendi que vivíamos na terra dos disfarces.

Comentou que no começo de sua jornada como empresário valorizava cada funcionário como ser único, mas, com o passar do tempo, haviam se tornado números, estatísticas. Ao perceber isso, entrou em crise e começou a treinar sua mente para não perder sua sensibilidade, e fazia questão de cumprimentar o porteiro do prédio, os manobristas, os garçons e as cozinheiras dos restaurantes que frequentava. Democratizou as decisões e o acesso ao lucro pelos funcionários. Porque dava especial atenção às pessoas humildes da empresa, começou a ser alvo de chacotas de seus executivos, mas disfarçadamente, pois o temiam.

— Mestre, quantos funcionários você tem, ou tinha? — perguntou o Prefeito. Dependendo da conta, podia angariar alguns votos como vereador. Pensou que não passasse de algumas dezenas, no máximo uma centena.

— Um pouco mais de cem — respondeu.

O Prefeito franziu a testa, o número coincidia com sua suspeita.

Mas, em seguida, o Mestre completou:

— Mais de cem mil.

O Prefeito quase caiu das pernas. Perdeu a respiração, fez as contas rapidamente e achou que daria para se candidatar a deputado. Era um miserável jogado às traças, mas a sede pelo poder também corria em suas artérias. Em seguida, Mellon comentou que entre seus pares havia uma obsessão para subir no *ranking* dos bilionários. Disse que existiam algumas pessoas notáveis nesse grupo, mas outras se esqueciam de que tombariam num túmulo como qualquer outro mortal.

— Há pessoas tão pobres, mas tão pobres, que só têm dinheiro.

Mellon continuou a discorrer sobre os textos da sua história. E falou-nos sobre um capítulo marcante. Disse que meses antes de perder sua família, dois personagens extraordinários o ajudaram a repensar suas verdades e reciclar sua maneira de interpretar os eventos da vida. Eram tipos incomuns que criticavam o sistema social e debochavam da paranoia pelo poder que cegava os grandes líderes. Conheceu-os no casamento da filha de Lúcio Fernandez, um amigo do clube dos bilionários. Lúcio era latino-americano e tinha como meta fundamental estar entre os dez homens mais ricos do planeta e quiçá atingir o pódio. Ele invejava o prestígio e o poder de Mellon Lincoln. Como eram amigos, convidou-o para o casamento da delicada Ana.

— Ana era uma jovem linda, gentil, calma, mas sofrida. Sua mãe havia se suicidado na sua infância. Seu noivo, Marco Polo, era, um jovem romântico, instigante e ousado, mas de origem humilde. Lúcio Fernandez fez tudo que estava ao seu alcance para Ana romper com Marco Polo. Seu sonho era que a filha se casasse com alguém do clube dos bilionários, para expandir sua rede de contatos e sua fortuna. Mas o pior defeito do noivo de Ana, para Lúcio, era a sua profissão: psiquiatra.

Mellon nos contou que ter um psiquiatra na família, capaz de analisar as loucuras do bilionário, era tudo o que mais odiava. E, para colocar mais combustível na dor de cabeça de Lúcio, o jovem Marco Polo chocava as pessoas com seu "humanismo". Para ele, um psicótico perturbado pelos seus delírios e alucinações ou uma pessoa depressiva isolada em seu quarto tinham tanta dignidade e tanto valor como um bilionário listado na *Forbes*. Lúcio queria morrer ao ouvir aquelas teses.

— Casamentos eram comuns, mas aquele me deixara perplexo. Eu havia me atrasado, e Lúcio fora me receber pessoalmente no grandioso salão de festas. Abraçou-me afetuosamente e me isolou da plebe, os convidados do noivo. Colocou-me na roda dos industriais e dos banqueiros, cujas fortunas somadas eram maiores do que o PIB, a produção toda de alguns países. Um pianista e um corpo de violinistas da orquestra sinfônica de Nova York traziam regozijo aos mais de mil convidados escolhidos a dedo.

O esquema de segurança assustava. Seguranças fardados, policiais antissequestro disfarçados, identificação rigorosa. O poderoso Lúcio desejava mostrar seu prestígio social numa festa pomposa, algo que tanto sua filha como Marco Polo rejeitavam. Muitíssimo pressionados a fazer sua vontade, cederam. Entretanto, algo saiu do controle. A festa, que deveria ser fonte de alegria, prenunciou ser a pior noite de Lúcio Fernandez. E o protagonista do escândalo foi a última leva de convidados do noivo, que também chegou com atraso.

Um tumulto instalou-se na entrada do saguão. Os seguranças expulsaram uns tipos estranhos, que insistiam em participar, dizendo ser amigos do noivo. Eram pacientes psiquiátricos em tratamento. Havia mendigos também. Alguns portadores de psicoses faziam gestos que revelavam sequelas neurológicas de um longo tratamento. Eram seres humanos sofridos que Marco Polo admirava, mas que os olhos preconceituosos discriminavam. Poucos portavam convites. Alguns, os seguranças renderam; outros, atiraram ao chão pensando ser possíveis terroristas. Chamado às pressas à portaria, Marco Polo ficou arrasado com o preconceito e a agressividade. Afirmou que eram seus diletos amigos e deveriam entrar. De fato eram amigos, que conquistara nos tempos em que revolucionara um velho hospital psiquiátrico. Revistados, foram liberados e introduzidos no meio de celebridades, políticos e multimilionários. À medida que desfilavam como num cortejo no meio do salão, não houve quem não estatelasse os olhos e ficasse atônito.

— O drama deu lugar à comédia; pessoas notórias e bem-vestidas perderam a serenidade e começaram a debochar dos personagens. Eu não entendia direito o que estava acontecendo, mas os repreendi e me incluí nessa repreensão: "Somos ricos por fora, mas miseráveis em sensibilidade por dentro". Os que estavam à minha mesa se aquietaram, mas o tumulto tomou conta dos demais convidados. Alguns detestavam Lúcio, e aquele escândalo era como mel para eles. O famoso anfitrião queria morrer. Estragaram sua festa, macularam seu prestígio. Constrangidos, os pacientes sentiram-se como palhaços num picadeiro. Mas, humildes, cumprimentavam os convidados pelos quais passavam. Senti um nó na garganta. Aquelas pessoas foram surradas pelos transtornos psíquicos, e mais surradas ainda pelo preconceito. Levei um choque. Elas deveriam ser tratadas com distinta respeitabilidade, mais do que os ilustres homens e mulheres que brilhavam no evento. Para espanto de alguns convidados, fui até eles e abracei e cumprimentei alguns. Fiz o que Lúcio Fernandez não teve coragem de fazer. Marco Polo, que não me conhecia, me abraçou e conduziu seus convidados para os seus lugares. Algumas pessoas que me conheciam e ironizavam essas minhas atitudes tiveram mais motivo para debochar ao me associar com doentes mentais.

Nesse momento, as vendas dos nossos olhos começaram a cair. Entreolhamo-nos e começamos a entender por que o Mestre chamara bizarros personagens para segui-lo, quando poderia ter chamado executivos, celebridades, notáveis políticos. Éramos tidos como ralé social, mas ele nos deu *status* de nobres. Ao ouvir o Mestre exaltar os amigos de Marco Polo, Bartolomeu abriu sua boca:

— Eu também sou nobre. Beber o que bebi, levar os tombos que levei, andar duro como andei, ser tachado de vagabundo todos os dias, ser preso umas dez vezes e ainda estar vivo é um ato de heroísmo.

Em seguida, o Prefeito entrou em cena e também se gabou do seu gigantismo.

— E eu? Quem aguentaria os trancos que suportei? Não tive pai, nem mãe, nem irmão. Perambulei por orfanatos. Fui expulso de todas as escolas. Fiz do teto de viadutos meu cobertor e de pedaços de papelão minha cama. Removi lixo para viver, e fui enxotado como cachorro umas cem vezes dos mais diversos restaurantes. Nunca me convidaram para sentar à mesa, nem jamais me deram o primeiro prato, só restos de comida. E olhou para mim e perguntou: — Já comeu rato ensopado, Júlio César?

Senti um gosto ruim na garganta. Atônito, respondi que não com a cabeça.

— Eu comi, pensando que eram os restos mortais de uma perdiz — interveio Bartolomeu.

— E eu, pensando que se tratava de uma bendita asa de faisão. E nem era tão ruim — completou o Prefeito.

Deng, por ser dono de restaurante, perguntou ingenuamente:

— Qual o sabor, Prefeito?

O Prefeito olhou bem nos olhos dele e lhe disse:

— Sabor de camundongo.

Caímos na risada. E assim descobrimos que ele comera rato mais de uma vez. Jacob e Salim também não se aguentaram e se esborracharam de rir.

— Como é gostoso sorrir da desgraça alheia — brincou Bartolomeu, olhando para o alto.

Apesar de esses dois aventureiros gostarem de se exaltar, temos de reconhecer que eles são verdadeiros heróis sociais. Conseguiram sobreviver numa sociedade pouquíssimo generosa com quem tem baixo estoque financeiro. O Mestre concordava que eles tinham grande estatura, por isso não lhes exigia muito. Após essa pausa, ele continuou a discorrer sobre o tumultuado casamento:

— Quando os estranhos amigos de Marco Polo estavam se acomodando e parecia que o terremoto cessaria, eis que um abalo sísmico maior tumultuou o ambiente. Apareceu subitamente um homem de cabelos grisalhos, pele ressecada e magro. Abriu os braços e começou a cantar para Ana no meio da festa. Fez tudo na contramão do cerimonial. E cantava muitíssimo bem. Tinha o desprendimento de um mendigo e a ousadia de um pensador. Seu nome dizia tudo: Falcão.

Falcão era um filósofo que havia passado pelos vales escabrosos dos surtos psicóticos, fora banido de sua universidade, rejeitado pela família e expurgado pelos amigos, mas entre lágrimas e delírios se reorganizou nas ruas e praças. Por fim, passou a ter um surto de indignação contra uma sociedade superficial e exclusivista. Falcão e Marco Polo eram dois grandes amigos. Idades diferentes, culturas distintas, mas o mesmo espírito aventureiro. A cena de Falcão cantando para Ana era surreal, uma overdose de afetividade. A menina não tinha mãe, fora criada num castelo que mais parecia uma prisão, mas os amigos do seu noivo saturavam sua emoção de alegria.

— Fiquei tão impactado com a cena que pedi, posteriormente, para encontrar Falcão e Marco Polo. Conhecia celebridades de Hollywood, príncipes da Europa, presidentes de países e grandes escritores, mas os achava desinteressantes, previsíveis demais. Os dois "malucos" que faziam coisas completamente fora da agenda me atraíram. Após o casamento, voei para o outro lado do país por duas vezes para me reunir com eles. Foram encontros mágicos.

O Mestre ainda nos contou que descobriu que Falcão tinha sido mestre de Marco Polo quando ele era um simples aluno de medicina. Os dois se aproximaram porque Marco Polo se recusou a dissecar os cadáveres na sala de anatomia sem conhecer a história por trás daqueles corpos. Zombado e desafiado pelo professor, ele saiu numa busca infernal pela identidade deles. Depois de idas e vindas, encontrou Falcão, o homem que conhecia aqueles miseráveis que serviam de "livros" para os alunos insensíveis, livros dos quais ninguém se preocupava muito em saber quem era o autor.

O jovem estudante e o velho filósofo formavam uma dupla inusitada. Por onde andavam assombravam os passantes na cidade em que moravam. Abraçavam árvores e conversavam com as flores. Tornaram-se parceiros inseparáveis. Ao presenciar a irreverência desses personagens, o Mestre perguntou a si mesmo: "Quem é livre? Quem tem carros luxuosos para viajar ou quem liberta seu imaginário e viaja em sua mente? Quem se preocupa com sua imagem social ou quem é livre para ser?".

Após esse questionamento, o Mestre descobriu que tinha muito dinheiro no banco, mas estava endividado no banco da emoção. E deu números. Disse que dez anos antes de perder sua família, ganhava vinte milhões de dólares por ano. Depois passou a ganhar cem milhões anuais, mais tarde quinhentos milhões e nos últimos anos... Vendo-nos assustados, não terminou de falar. Disse somente que começou a ganhar bilhões de dólares com as empresas do grupo Megasoft, que se tornaram as estrelas das bolsas de valores.

O Prefeito começou a engasgar.

— Você está brincando, Mestre? Comemos sobras de alimentos quase todos os dias, e você com essa grana toda!

— Foi uma vibrante experiência de como a sociedade nos trata — comentou o Mestre.

— Lixo! Temos sido tratados como escória — eu disse.

— Sim, algumas vezes, como lixo; outras, como rebeldes; ainda outras, como malucos. Mas há os que nos tratam como seres humanos que possuem algo que eles procuram ansiosamente. Olhe quantas pessoas nos ouvem, Júlio César — observou o Mestre calmamente.

De fato, muitas pessoas vinham acompanhando nossas palavras ultimamente. Em seguida, ele me perguntou:

— Conhece o paradoxo sociológico do rico-pobre?

— Paradoxo do rico-pobre? Nunca ouvi falar desse termo — respondi convictamente.

— Esse paradoxo demonstra que o dinheiro, a partir de determinada quantia, inevitavelmente empobrece — comentou o Mestre, acrescentando: — Quanto mais dinheiro, menos sono, tranquilidade, simplicidade, sensibilidade e tempo para si e para quem se ama. E não para por aí. Quanto mais dinheiro, mais preocupação com os bancos, flutuação cambial, políticas governamentais e internacionais. Há exceções? Se há, eu as desconheço. Quem é rico? Quem faz pouco do muito ou quem faz muito do pouco?

As ideias de Mellon Lincoln, meu Mestre, frequentemente me perturbavam, fosse pela transparência, fosse pela argúcia. Nas rodas de sociologia, nos tempos em que eu dava aula, falávamos do poderoso Mellon, mas desconhecíamos o homem surpreendente por trás da fama. Se estivéssemos no lugar dele, talvez eu e alguns colegas sociólogos, que se julgam desprendidos de dinheiro, nos candidatássemos a ser deus. Ele tinha seus defeitos, mas era um homem dotado de serenidade. Lembrei-me dos meus colegas quando me advertiram que eu seguia um "psicótico". Não desconfiavam que esse "psicótico" era simplesmente o dono de um banco de investimentos que, por sua vez, era proprietário da universidade.

Bartolomeu emudeceu ao descobrir a grandeza do homem que seguia. Pensei que não conseguiria dizer nada, tamanha a surpresa, mas abriu a boca para falar uma bobagem, ou dar uma de esperto:

— Mestre, quando retomares teu poder, me colocas à tua direita, que administrarei tudo com competência.

— E eu, à tua esquerda. Sou um líder formado nas ruas, conheço como ninguém a malandragem dos bajuladores — disse o Prefeito, apontando para Bartolomeu.

Mellon brincou, ou talvez tenha falado sério:

— Hoje sou duro como vocês.

Se esses dois não administram nem a língua, que dirá um império!? Jurema colocava a mão direita sobre o queixo, contraía os lábios e mexia a cabeça como se tivesse descoberto algo. Agora tudo se encaixava para ela. Mellon era o maior acionista de uma empresa na qual seu falecido marido havia sido diretor-presidente. Sempre comentava com ela quanto o admirava. Dizia que Mellon conseguia reunir na mesma alma ousadia e humildade.

Os breves encontros com Falcão e Marco Polo perturbaram Mellon Lincoln e contribuíram para pautar sua história depois que perdeu os seus filhos e a esposa. O filósofo encantou o empresário, e o psiquiatra humanista deu-lhe uma ducha de lucidez. Para eles, a sociedade moderna tornara-se uma sala de anatomia, formada por corpos sem identidade, sonhos, lágrimas, histórias. Mellon também impactou os dois irreverentes com sua perspicácia e inteligência. Discorreram sobre muitas ideias, sobre nobres sementes. Nunca mais se encontraram, mas, antes de se despedir, Falcão tocou os ombros de Mellon e lhe disse:

— Todo homem, cedo ou tarde, e de alguma forma, desmorona. Não tenha medo quando o mundo desabar sobre você, não tenha medo quando soterrarem suas sementes. O maior favor que se faz a uma semente é sepultá-la. Somente assim surgirá uma floresta.

Mellon jamais se esqueceu disso. Aquelas palavras o ajudaram a se tornar um semeador de ideias.

CAPÍTULO 5

O mercado é mais importante que as pessoas

No dia seguinte, a dez quadras do local onde o Mestre relatara pela primeira vez sua história, outro homem estava vivendo o ápice de uma crise. Ofegante, tenso, trêmulo, inconformado, jamais estivera tão abatido. Tentava dominar a agitação da sua mente, mas fracassava. Tentava animar-se, dizendo para si mesmo que sairia daquele atoleiro, mas sentia que era mais fácil gerenciar uma grande empresa do que sua ansiedade.

Dois comprimidos de tranquilizante não o aquietaram. Seu coração parecia um cavalo incontrolável num hipódromo. Sua face gotejava como plantas destilando o orvalho. Pulmões ofegantes, pressão sanguínea elevada, dores musculares, cefaleia frontal eram sintomas que refletiam que estava sob um risco altíssimo. Mas a morte não estava batendo-lhe à porta, pelo menos não fisicamente. Seu cérebro clamava: "Fuja, homem, fuja!". No entanto, não podia bater em retirada. Afinal de contas, Mark Sagan era o diretor-presidente da poderosa companhia que o aterrorizava e, além disso, seu criador e acionista.

Sagan era um homem alto, esguio, moreno, cabelos levemente grisalhos. Personalidade determinada, autoritária, combativa. Ferino nas respostas. Eloquente e com alto poder de persuasão, pela primeira vez estava emudecido diante da reunião semestral dos acionistas da empresa, a You&Game. A reunião começaria em uma hora.

— O senhor está tenso. Quer um café? — perguntou, apreensiva, a secretária executiva, assessora de sua confiança.

— Não me perturbe, Sarah — respondeu ele asperamente. Depois tentou ser brando: — São os números, eles me matam!

Os números estavam cortando a carne do brilhante executivo, um dos gênios da era digital. Sagan criou uma pequena empresa que, mais tarde, recebeu um aporte de um grande investidor, que a organizou e depois abriu seu capital. As ações da You&Game subiram como míssil nos últimos cinco anos, mais de 1.200%, porém, nos últimos meses, tinham despencado. A empresa produzia programas de computador, mas seu forte eram os jogos de *videogames*. Era a líder mundial do segmento. Somente nessa área, faturava mais do que os grandes estúdios de cinema.

— Vamos superar, doutor — disse Sarah, tentando acalmar o chefe.

Sagan, além dos dividendos que tinha como acionista, recebia salário como executivo e generosa participação nos resultados da empresa. No último ano fiscal, esses resultados tinham sido vultosos, e ele ganhara a impressionante soma de 96 milhões de dólares. Ganhar dinheiro fazia seus neurônios delirar.

Ele e o homem que eu seguia pensavam diferente em múltiplas áreas, inclusive na filosofia do dinheiro. O Mestre dizia: "Dinheiro não garante felicidade, mas sua falta pode garantir a infelicidade." Sagan, por outro lado, pensava: "Dinheiro não traz felicidade, manda comprá-la".

O líder da You&Game era um homem materialista, arrogante, ansioso, que olhava de cima para seus subalternos. Só sentia fagulhas de prazer se tivesse desafios. Agressivo, não titubeava em despedir funcionários até dentro do elevador. Apesar de milionário, não gostava de dar gorjeta, e quando o fazia nunca dava além do estipulado. Não comprava nada antes de pechinchar até o último fôlego. E, para completar, tinha neurose paranoica, sempre achava que os outros queriam puxar seu tapete ou explorá-lo. Seus adversários não eram competidores, mas inimigos a serem abatidos.

Esse ano, provavelmente, a empresa pela primeira vez daria prejuízo e ele teria zero de participação. Somado a isso, havia acionistas querendo sua cabeça.

— O que me angustia é que nossa empresa parou de crescer — disse à secretária.

— Mas não são tempos de crise, senhor Sagan? — indagou Sarah.

— A indústria do lazer cresce tanto na primavera como no inverno das crises — respondeu metaforicamente. E adicionou egocentricamente: — Amamos as crises.

Era um fato. Em tempos de crise econômica, muitos atores sociais projetam sua ansiedade no álcool, bem como nos jogos eletrônicos, que funcionam como anestésico. Os pais compram para seus filhos e os utilizam também como válvula de escape. A indústria do entretenimento cresce. O acidente financeiro que se abatera sobre a You&Game não se devia à crise global. A causa era subterrânea. Aflito, Sagan esfregava as mãos na cabeça e as deslizava pelo rosto. O executivo completou com indisfarçável frustração:

— Falhamos em nosso controle de qualidade! Falhamos!

Sagan se referia à última série de jogos da You&Game em 3D, operada sem uso de óculos especiais e com interatividade através da psicodinâmica do pensamento do usuário. O desejo do usuário gerava energia mental, que era captada por um dispositivo sobre sua cabeça, fazendo-o interagir nos jogos, dando-lhe a sensação de penetrar na realidade virtual. Mas o problema não era a tecnologia, e sim a trama ultraviolenta dos jogos, que excitava o psiquismo dos jovens a tal ponto que gerava uma massa de ciberdependentes. A ciberdependência produzia sintomas semelhantes aos da dependência psicológica da cocaína: atração irresistível, ansiedade, intolerância à frustração, impulsividade, além de insônia e humor depressivo na ausência da substância.

Muitos usuários ficavam tão fissurados nos jogos que varavam as madrugadas ligados ao aparelho, frequentemente escondidos dos pais. Em um dos *games*, o que mais atraía a juventude, o perdedor era assassinado ou se suicidava virtualmente. Eram jogos perigosíssimos, que atentavam contra a consciência crítica e reproduziam as loucuras de ditadores. Hitler, no auge do poder, protagonizou uma indústria de assassinatos e, no calabouço da derrota, matou seus filhos e suicidou-se. Negadas pelos executivos da You&Game, as consequências do vício nesses jogos não poderiam ser piores: zero de resiliência, ou capacidade de suportar contrariedades; zero de capacidade de expor, em vez de impor as ideias; zero de habilidade de pensar em outras possibilidades.

— Veja as notícias dos jornais sobre nossos jogos! São loucas, insanas! Informações absolutamente incorretas. Nossos jogos funcionam como uma babá eletrônica. Fixam as crianças em sua casa. Substituem pais modernos, entulhados de compromissos, omissos, sem tempo para educar seus filhos. E cobramos tão pouco por isso! — disse Sagan, num ataque de raiva, tentando se convencer de que não cometera um erro crasso.

Meses antes, as vendas dos jogos da You&Game estavam superaquecidas, porém nuvens no horizonte anunciavam tempestades. Vozes que denunciavam a influência destrutiva dos jogos na personalidade dos usuários começavam a aparecer, mas nada que as pressões ou dez ou vinte mil dólares não pudessem silenciar. Todavia, uma jornalista, Ana Cláudia, de ilibada ética, percorreu as entranhas dos fatos. Cabelos castanhos, olhos azuis, pele clara salpicada de sardas, magra, e um metro e sessenta de coragem. Depois de investigar detalhadamente os comportamentos de adolescentes usuários, Ana Cláudia concluiu, apoiada por especialistas, que aqueles jogos poderiam gerar ciberdependência. Intolerantes às frustrações, pequenas contrariedades geravam reações agressivas e desproporcionais em alguns jovens.

Os jogos estimulavam a violência pela violência, o fenômeno da ação-reação. Alguns se tornavam cruéis com seus colegas, pais e professores. Antes de publicar a matéria, a jornalista fora assediada. Recebeu inesperadamente a visita de homens da You&Game. Ela pesquisava fatos, mas não sabia que também estava sendo investigada. Tentaram dissuadi-la:

— Nossos jogos são analisados e aprovados por educadores de renome. Usamos algumas cenas aparentemente agressivas como pano de fundo para reter a atenção dos usuários e paralelamente estimulá-los a ser inventivos.

Mas não a convenceram.

— Que inventividade pode haver quando se usam armas virtuais para eliminar adversários? Em que plano ficam o diálogo e a negociação? — A jornalista completou: — Qual a filosofia empregada para promover a inteligência dos jovens e quais os nomes dos educadores que os avalizaram?

— A identidade dos profissionais de nossa empresa é sigilosa.

Não disseram mais nada, apenas colocaram um calhamaço de dados sobre a pequena mesa de mogno, saturada de estrias avermelhadas. Ana o pegou e o colocou ao lado da luminária de alumínio, que imitava um cacho de uva, cujos bagos eram pintados de azul. Os homens ponderaram ainda que a You&Game formara uma comissão para avaliar os incidentes.

— A conclusão da comissão foi que os jovens que agiram com violência já eram previamente doentes, psicopatas com tendências homicidas e suicidas.

Não havia naqueles homens a mínima expressão de sentimento de culpa ou compaixão pelos jovens e pela destruição que causaram a seus colegas e a seus pais. O dinheiro gritava mais forte do que a sensibilidade. Só queriam salvar a pele da empresa diante de uma intrusa jornalista. Mas não encontraram eco. Ana Cláudia os questionou:

— Como tinham tendências homicidas e suicidas se seus pais eram altruístas e afetivos? O histórico que colhi não justificava a agressão que cometeram — disse ela com honestidade e elevada dose de ingenuidade. Não imaginava que poderia ser alvo de graves retaliações.

Criticaram-na, mas esbarraram em sua convicção. Ameaçaram-na, mas ela não cedeu. Por fim, os homens se foram, e Ana Cláudia suspirou aliviada, mas receosa, sentindo que talvez tivesse falado demais com os estranhos. Ficou ansiosa por algum tempo; entretanto, acalmou-se quando recordou algumas palavras que ouvira de um maltrapilho que conhecera havia poucas semanas. O mendigo discursava nas escadarias de um *shopping center*. "A vida é um contrato de risco. Fracassar, perder, ser vaiado fazem parte das suas cláusulas. Quem se aprisiona num casulo com medo dessas cláusulas corre riscos mais graves ainda, sobretudo de enterrar sua própria consciência."

As palavras do maltrapilho impressionaram Ana Cláudia, fazendo-a interromper sua marcha. Foi tentada a julgá-lo como um político disfarçado. No entanto, não poderia ser, eram ideias incomuns, ela ponderou. Talvez um propagador de motivação. Mas em seu discurso não havia motivação, e sim provocação do intelecto, um apelo à consciência crítica. A argúcia do estranho a instigou. Toda vez que escrevia uma reportagem corria riscos, em especial quando fazia denúncias sociais. Intrigada, questionou-se: "Quem é esse sujeito que distribui ideias sem cobrar? Que não promete o paraíso, mas discorre sobre o inferno social?". E olhando ao redor: "Quem é esse bando de malucos que o segue?".

Como repórter investigativa, ela mesma começou a seguir seus passos, mas a distância. Tinha vergonha de confessar aos seus pares que o admirava. Para sua perplexidade, descobriu que o movimento não era religioso nem político, mas ainda não sabia como caracterizá-lo. Parecia um movimento filosófico que reproduzia as discussões em praça pública nos áureos tempos da Grécia. O maltrapilho jamais cedeu ao pedido de Ana Cláudia para uma entrevista. Era avesso à exposição na mídia. Entretanto, suas anotações sobre esse fascinante personagem resultaram numa matéria de grande impacto, intitulada "Filósofo das ruas denuncia as loucuras da sociedade".

No dia seguinte, os enviados da You&Game retornaram sem marcar horário. Estavam tensos, inquietos. Esperavam-na no saguão do edifício. Insegura, não quis recebê-los em seu apartamento. Reuniram-se no hall de entrada. Rápidas palavras marcaram o encontro. Seduziram-na no ponto nevrálgico do ser humano. Foram direto ao assunto:

— Duzentos e cinquenta mil dólares — e colocaram uma maleta sobre a mesa.

Ela ficou chocada.

— Duzentos e cinquenta mil dólares para me silenciar?! — perguntou taxativamente.

— Não! É o preço para que não cometa um equívoco — disseram, impacientes e sem meias palavras. Imaginavam que a oferta seria irrecusável.

Jornalistas alardeiam suas vozes na sociedade, mas têm salários tímidos, pelo menos a maioria. A soma da propina era cerca de cem vezes o salário de Ana Cláudia, mais de oito anos de trabalho árduo, tudo numa simples maleta preta. Era tão simples pegá-la e se calar. Era uma soma que talvez jamais reunisse, pois suas contas mal fechavam no final do mês. Nesse momento, fez uma imersão no passado recente e se lembrou de outras palavras do Semeador de Ideias: "Há um paradigma sociológico que diz que todo ser humano tem seu preço. Sim, todos os que colocam sua consciência à venda". A consciência de Ana Cláudia simplesmente não estava à venda.

Ela recordava as lágrimas das mães e a face inconsolada dos pais que tiveram seus filhos feridos e mortos por jovens que foram influenciados por aqueles jogos.

— Não! Sua oferta é uma ofensa. Saiam e não me procurem mais; caso contrário, vou denunciá-los.

Os homens balançaram a cabeça e saíram inconformados. Ana Cláudia sabia que, quando publicasse a reportagem, haveria consequências para a empresa, mas não imaginava que pudessem ser tão graves. Dois dias após esse incidente, ao cruzar uma grande avenida, um carro em altíssima velocidade, aparentemente desgovernado, quase a atropelou. Ana Cláudia ficou em estado de pânico, mas pensou que era um risco casual. No dia seguinte, numa noite chuvosa, um táxi que deveria parar lentamente para que ela o tomasse acelerou e partiu para cima dela. Pega de lado, fraturou o antebraço direito. Desesperada, sentiu que sua cabeça estava a prêmio. Três dias depois, uma bala perdida estilhaçou o para-brisa e outra perfurou a porta do motorista do seu velho carro financiado.

Hesitou. Ficou insegura. Começou a pensar que era melhor ser uma covarde viva do que uma heroína morta. Deprimiu-se, sentiu que estava se sepultando. Mas, certa noite, de sono leve, teve um pesadelo, acordou taquicárdica, fóbica, agitada. Precisava sair do casulo, afinal de contas, a vida era um contrato de risco. Era tempo de tomar uma decisão. Se ela se calasse, poderia correr mais perigos ainda; se abrisse a boca, talvez conseguisse proteção.

Na noite em que a matéria estava rodando nas máquinas do jornal, Ana Cláudia não dormiu nem um minuto. Suava frio, passava as mãos na garganta, sentia-se asfixiada. Percebeu com clareza, pela primeira vez, que a matéria poderia causar uma reação em cascata em outros meios de comunicação. Não teria controle das consequências. E não teve. "*Videogames* geram mentes destrutivas", eis a manchete que retratava a pior notícia desde que a You&Game fora fundada havia treze anos.

Mark Sagan esmurrava a mesa. Bufava de raiva. Queria recolher todos os jornais e atear fogo neles. Tinha vontade de esmagar Ana Cláudia com seus próprios punhos.

— Estúpida, louca, insana! Jornalista neurótica! Mal resolvida e mal paga! Mente doente! Especialista em caluniar pessoas e empresas de bem. Vou processá-la, persegui-la, não darei um dia de descanso para essa frustrada. Acabarei com sua carreira e com seu jornalzinho — ele gritava como um animal querendo triturar a presa. E tinha poder para isso.

O resultado não poderia ter sido pior nas bolsas de valores. A repercursão da matéria fez com que, em dois meses, as ações da empresa caíssem 26%. A perda foi catastrófica. A You&Game, que, pela cotação das ações, valia em torno de quarenta bilhões de dólares, perdeu dez bilhões e quatrocentos milhões com a desvalorização. A perda foi superior a 24 vezes o valor do jornal em que Ana Cláudia trabalhava e que empregava quinhentos funcionários, entre jornalistas, redatores, fotógrafos e outros. E, pior, as ações estavam ainda em queda livre.

Somente Sagan, pelas ações que possuía, perdeu mais de um bilhão de dólares. Ele e todo o estafe da empresa, que eram viciados no índice Dow Jones, sentiam uma faca apunhalando-os a cada milhão de dólares perdido. Sagan esmurrava a parede, gritava, urrava de ódio. Pensou em armar uma emboscada. Estava alucinado.

— Por que não comprei esse mísero jornal e despedi essa crápula? — disse o multimilionário. — Despencamos mais de dez bilhões! Que desastre!

Sua voz altissonante e seus gestos tresloucados assustavam até os pardais e as pombas que repousavam no parapeito das imponentes vidraças espelhadas do seu escritório. Apesar de toda a queda, o valor das suas ações ainda atingia a marca de seis bilhões de dólares. Era um dos homens mais ricos do planeta, mas sentia-se empobrecido.

Certa vez o Semeador de Ideias nos disse: "O dinheiro pode funcionar como uma potente droga. Para os que nele se viciam, qualquer quantia é insuficiente para saciá-los".

Havia cerca de cem diretores e gerentes de criação, *marketing*, finanças e vendas na poderosíssima You&Game. Como tinham ações nas empresas, todos perderam muito dinheiro, tiveram esmagadas sua tranquilidade e sua saúde física e psíquica. Após esse episódio, a maioria desenvolveu algum transtorno: crises hipertensivas, gastrite hemorrágica, cefaleia e outras doenças psicossomáticas. Nove enfartaram, quatro desencadearam câncer, trinta foram parar em psiquiatras e psicólogos, dos quais dez tiveram uma grave depressão; três sofreram surtos psicóticos; e dois morreram subitamente.

A reunião semestral da empresa estava para começar. Os acionistas ocupavam seus assentos no pequeno e confortabilíssimo anfiteatro da presidência. O sorriso de antes foi golpeado pela insegurança; o relaxamento, asfixiado pelo medo futuro. As festas regadas a uísque, lagostas e caviar deram lugar à água e a um magro *coffee break*. Uma solução rápida e mágica precisaria ocorrer a qualquer custo, pensou Sagan. Afinal de contas, sua cabeça estava a prêmio. O que um cérebro viciado em poder até o último neurônio não faria para preservá-lo?

CAPÍTULO 6

Dinossauros e seres humanos

Andar com o Mestre me deixava intelectualmente nu. Sua mente inventiva, sua coragem para andar por caminhos desconhecidos e sua habilidade para expressar seu pensamento retiravam o verniz da nossa superficial humildade e intelectualidade. Caminhar com ele e com o seu bizarro grupo era um convite para conhecer os porões do nosso inconsciente. Particularmente, sabia que eu tinha defeitos, mas não imaginava que fossem tantos. Até minha honestidade impulsiva refletia minha incapacidade de frear minha língua. Observando meu desapontamento comigo mesmo, ele procurou me acalmar:

— Relaxe, Júlio César. A sabedoria não requer cérebros infalíveis, mas mentes que reconheçam seus limites e sua estupidez. Cobre menos de si.

— Eu tento, mas relaxar não é minha especialidade, Mestre.

Sentamos ao seu redor e começamos mais uma roda de discussões. Procurei recostar-me num velho banco e me soltar. Perto dali, em breve aconteceria um megaevento, o mais importante dessa notória cidade: a seleção dos melhores profissionais do ano em suas respectivas áreas. Os mais destacados empresários do mundo digital, jornalistas, atores, atrizes, cantores e cantoras internacionais seriam aclamados e premiados.

Observando um *outdoor* que alardeava o evento, o Semeador subitamente nos surpreendeu com esta ideia:

— Um ser humano inteligente discute ideias. Um ser humano mediano discute comportamentos, como fatos, estilos e conceitos. Um ser humano superficial discute pessoas, quer dizer, suas roupas, projeção, imagem. Onde vocês se encontram?

A minoria das pessoas discutia ideias, inclusive intelectuais e jornalistas. Parte significativa da sociedade discutia comportamentos. A grande maioria discutia pessoas. Não honrávamos a arte de pensar. Não poucos críticos de cinema, de literatura, analistas sociais e políticos tinham tendência a discutir comportamentos ou pessoas, e não ideias. Eu também. Em vez de me ater à ideia do Mestre, minha atenção foi furtada pela curiosidade de saber quais seriam os ganhadores daquele superevento. Nos tempos em que dirigia o departamento de sociologia, gastávamos horas preciosas discutindo comportamentos de alunos e professores, mas poucas eram dedicadas aos seus pensamentos.

O número de informações se multiplicava assustadoramente, porém elas entulhavam nosso cérebro e não refinavam o paladar da inteligência. Éramos uma massa de pessoas superficiais: vivíamos tanto na superfície do planeta Terra como na superfície do planeta psíquico.

Entertanto, era interessante observar pessoas, como Bartolomeu e Barnabé, dois mendigos, sendo treinadas para discutir grandes temas sociais. Não tardou para o homem que seguíamos entrar na seara de ideias históricas e sociopolíticas.

— Somos da classe dos mendigos, mas não há tantos deles como no passado. O período entre os séculos XVI e XVII foi conhecido como a era dos mendigos. Os dados são surpreendentes. Um quarto da população de Paris na década de 1630 era constituída de mendigos, e nos distritos rurais o número era igualmente grande. Na Inglaterra, as condições eram semelhantes. Na Suíça, no século XVI, dizia-se: "Quando não há outra forma de se livrar dos mendigos que sitiam as casas e vagam em bandos pelas estradas e florestas, os 'homens de bem' devem organizar expedições contra esses desgraçados".

— O que quer dizer organizar expedições contra os mendigos? — perguntou Bartolomeu.

O Mestre passou a mão direita rapidamente pelo pescoço, indicando que em alguns casos era matá-los. Sentimos um calafrio. Em seguida ele nos perguntou:

— Quais as causas dessa miséria generalizada?

Salim respondeu que eram as guerras. Jurema lembrou as pestes. Eu comentei sobre o arrendamento caro das terras, a falta de tecnologia agrícola e de transporte.

— A corrupção dos homens da minha laia — disse acertadamente o Prefeito. Ele, que tinha compulsão por comida, ao ouvir aquela história, tirou do bolso um sanduíche amanhecido, depois um pacote de bolachas e começou a degustá-los. Percebeu que sua vida de vagabundo era difícil, mas deveria ser bem melhor do que a de grande parte das pessoas do passado.

Todas as respostas estavam corretas. E o Mestre continuou:

— Antes do século XIX, por cerca de quatro mil anos, o padrão de vida do cidadão comum na América, Europa, Ásia e África subiu pouco. Anos de abundância de alimento eram sucedidos por anos de escassez. A colheita para a grande maioria das famílias era o acontecimento mais solene, fruto de regozijos ou desespero, pois tinham de passar o inverno e sobreviver. Hoje, neste grande país, poucos se preocupam com isso. Milhões de pessoas que vão diariamente aos supermercados não têm a mínima ideia de como a humanidade foi estrangulada pela falta de alimento. A miséria e a fome eram fantasmas presentes. A humanidade nunca atingiu a marca de um bilhão de habitantes. Mas, na segunda metade do século XIX, e em especial no século XX, ocorreu uma revolução científica e tecnológica sem precedentes. Vacinas, tratamento de água e esgoto, antibióticos, ciências agrárias e distribuição de alimentos nos aproximaram, no intervalo de apenas um século, da marca de sete bilhões de habitantes.

Após sua exposição, o Semeador de Ideias solicitou:

— Olhem ao seu redor. Observem quantas pessoas transitam pelas ruas. Observem os carros, os apartamentos, as lojas abarrotadas de produtos. Eis a sociedade de consumo. O que pensam? Tivemos um grande sucesso nos últimos cem anos?

— Sem dúvida — afirmamos coletivamente.

Mas sempre havia o outro lado da questão, e eu não sabia qual o Semeador queria mostrar ao bando de miseráveis que o seguiam.

— Todavia, o sucesso é mais difícil de ser trabalhado do que o fracasso. A sustentabilidade do sucesso impõe riscos altíssimos — afirmou ele categoricamente.

— Mas, Mestre, não é um exagero nos preocuparmos com o futuro? Já temos tantos problemas no presente! — Jacob contestou.

— Não, Jacob! Nosso sucesso não planejado se tornou uma grande armadilha. Estamos esgotando os recursos naturais rapidamente. A agricultura tem limites para aumentar sua produtividade. Já pensaram se tivermos um ano de seca mundial, como já ocorreu em alguns períodos da história? Seria um desastre inimaginável! A falta de alimento em um dia provocaria conflito nas ruas no outro. Sempre foi assim na história.

Universidades, templos religiosos, supermercados tornar-se-iam praças de guerra. Já pensaram se as estações falharem? E se o aquecimento global aumentar em níveis não previstos pelos cientistas e dirigentes das nações?

O Prefeito acelerou sua compulsão pela comida: colocou dez bolachas na boca de uma só vez. Bartolomeu pegou o resto do pacote e também começou a degluti-lo. Em seguida, a professora Jurema, inspirada pelo que ouvira, trouxe à tona uma ideia interessantíssima. Comentou que os dinossauros dominaram este belo planeta azul por mais de cem milhões de anos e que esse domínio não causou danos à natureza, enquanto o ser humano está dominando a Terra há apenas alguns milhares de anos e já a está destruindo.

— Parabéns, Jurema. Os dinossauros eram grandes em tamanho, mas pequenos em ambição; nós, humanos, somos pequenos em tamanho, mas grandes em ambição. O sucesso incontestável do *Homo sapiens*, a única espécie pensante em meio a milhões de outras, tornou-se, reafirmo, nossa maior emboscada, tanto para a nossa própria sobrevivência quanto para a da natureza. O intelecto que nos libertou para produzirmos a arte de pensar foi o que também nos aprisionou. O pensamento foi uma arma poderosíssima que usamos contra nós mesmos. É a primeira vez que uma espécie domina o planeta tão rápido e o destrói mais rápido ainda.

— Loucura! Você é um semeador de loucura! — gritou um homem estranho, portando óculos escuros e um chapéu que escondia seu rosto, já se levantando para sair.

Mas o Semeador de Ideias calmamente rebateu:

— Quem dera essas ideias fossem estúpidas! As próximas gerações pagarão caríssimo a dívida que estamos acumulando. A questão não é saber se elas pagarão, mas quanto pagarão. Eu já paguei dívidas de um parente irresponsável.

Ele se referia a Roger, um personagem sombrio, irmão da sua falecida esposa.

— Pagar conta que não é nossa dá um gosto amargo na boca. Imagine o sentimento de indignação e raiva que as gerações seguintes terão dessa nossa geração insana. Cada ser humano consome, em média, mais de quatrocentas árvores durante sua vida. No mínimo, deveríamos plantar duas ou três árvores em cada aniversário para amortizar um pouco nosso passivo ambiental.

E comentou que, para ele, a maioria das pessoas está despreparada para o poder de que estão investidas. O poder as transforma em crianças que brincam de deus, mas sem a mente nem a responsabilidade e a generosidade de um deus. Ao ouvir sobre a generosidade, o filósofo das ruas, Bartolomeu, disse:

— Divido o prato com outros alcoólatras, dou meu cobertor para outros mendigos, não faço diferença entre almofadinhas e pessoas, como o Prefeito, que detesta banhos. — Os dois se espetavam tanto que não se sabia se estavam fazendo elogios ou criticando um ao outro.

— Espera aí, meu amigo. Não é que eu não goste de tomar banho, economizo água. Sou um político verde! — pronunciou o Prefeito.

Caímos na risada. O Mestre também sorriu, mas em seguida, fechou o semblante e argumentou:

— A China e a Índia serão duas grandes potências no futuro. Ambas têm 40% da população mundial. Em duas décadas, colocarão mais de um bilhão de pessoas na classe média. Esse contingente de pessoas consumirá produtos básicos trinta vezes mais do que toda a população mundial consumiu no auge do Império Romano. E, quando a humanidade tiver todos os seus habitantes no mínimo pertencentes à classe média, poderá haver um colapso. O que fazer? Impedir que China, Índia,

Brasil, Rússia, Indonésia, Malásia, Vietnã, bem como tantos outros países, principalmente os da África, tenham um padrão de consumo europeu ou norte-americano? Não! Seria injusto. Mas a bomba vai ser detonada. Faltarão alimentos, água, energia, matérias-primas; sobrará lixo na terra, no mar e no ar. É necessário desarmar essa bomba pouco a pouco, ano após ano, para que se possa produzir um padrão de consumo que preserve as próximas gerações.

— Mestre, se tivesse condições, eu mudaria o mundo — disse Bartolomeu.

— Desculpe, mas não mudaria. Ninguém muda o mundo se primeiramente não mudar o seu mundo.

O Prefeito interferiu com maestria:

— Os problemas da humanidade devem ser resolvidos não por um gigante ou por um grupo social, mas por uma mudança de mente, uma geração de seres humanos sem fronteiras que pensem como família humana.

Fiquei surpreso com os resultados que esses debates estavam produzindo. Até o Prefeito estava raciocinando. O Mestre o aplaudiu, e nós o acompanhamos calorosamente. Brincalhão, o Prefeito se levantou e disse:

— Nobres eleitores, lembrem-se de mim na próxima eleição.

O Semeador de Ideias, em seguida, continuou:

— Somos marcadamente egoístas, mesmo quando nossas intenções parecem acertadas. Lembrem-se de que eu queria dar o mundo aos meus filhos, mas negava-lhes o meu mundo. Negava-lhes o essencial: minha história, meu afeto, meu tempo. Nossas ações traem nossos discursos. Tornam-nos hipócritas.

Foi a primeira vez que ouvimos falar da sua perda com suavidade. Felizmente, o Mestre estava se vingando do sentimento de culpa, estava tendo a coragem de se perdoar. Fiquei alegre por ele.

Éramos pouco mais de cem pessoas presentes. Havia dois turistas especiais que estavam conosco: um dirigia um banco na Suíça, e o outro, uma indústria de componentes eletrônicos na Alemanha. Estavam ali por curiosidade, sem nenhuma outra pretensão; queriam apenas ouvir o famoso miserável provocar a mente de outros miseráveis. Ao ouvir suas últimas palavras, um disse para o outro em tom de deboche:

— O que esse bando de mendigos pode fazer para ajudar a sociedade? Não têm sequer onde dormir ou dinheiro para comer, e estão discutindo os grandes temas da humanidade. Que tolice!

De fato, nenhum de nós tinha, a não ser o Mestre, influência política para mudar minimamente as rotas da sociedade, mas ele não acreditava em mudança de cima para baixo, e sim, como disse o Prefeito, de baixo para cima. Cada célula do imenso corpo da humanidade tinha de discutir suas doenças e seus respectivos tratamentos em curto, médio e longo prazos. Estávamos perdendo a fé nos líderes. O homem que seguíamos, então, comentou:

— Pitágoras, cinco séculos antes desta era, ensinava aos seus alunos a ter uma inteligência humanista. Seus discípulos eram educados e treinados a perguntar em todas as casas e espaços sociais que adentravam: "Que fiz? Que erro cometi? Que deveres não cumpri?". Como artesão da educação, Pitágoras sonhava que seus discípulos aprendessem pelo menos três excelentes funções intelectuais: capacidade de reconhecer erros, de se colocar no lugar dos outros e de pensar nas consequências de seus comportamentos.

Em seguida, perguntou a mim, como professor de sociologia, e à professora Jurema, como renomada pedagoga:

— Respondam-me: que universitários são equipados para fazer essas simples perguntas à pessoa que ama, a sua empresa ou até em relação às próximas gerações? Como perceber o invisível, as emoções ocultas, se não perguntamos: "Que sentimentos o perturba? Onde o feri e não percebi? Em que posso contribuir com você?". A ditadura da resposta na educação clássica assassinou a arte da pergunta, asfixiou a maturidade psíquica de milhões de alunos.

Ao ouvir esses argumentos, alguém comentou:

— Mas, Mestre, estamos evoluindo. A criminalidade hoje é menor. Não há escravos. Há direitos trabalhistas. Será que você não está sendo pessimista demais?

Ele calmamente respondeu:

— Avançamos de fato em algumas áreas. Cito uma importante: o trabalho aviltante de crianças. Leo Huberman diz que 129 famílias foram estudadas em Connecticut: 80% tinham crianças menores de dezesseis anos trabalhando para elas; sendo que 50% tinham menos de doze anos e 30%, menos de oito anos; e, pasmem, 10% dessas famílias norte-americanas tinham crianças menores de cinco anos trabalhando para elas. Em que época ocorreu esses degradantes fatos? Não foi no século XVI ou XVII, mas no XX, em 1934.

Os dados eram assombrosos. Em seguida, o Semeador de Ideias perguntou a quem o chamara de pessimista:

— Progredimos inegavelmente em diversas áreas, mas responda-me: que garantias temos de que, num futuro breve, em determinada sociedade em crise, se surgisse um ditador com o carisma de Adolf Hitler e propostas radicais, ele não dominaria essa sociedade, não seduziria os jovens nem cometeria atrocidades?

O interlocutor ficou titubeante, mas respondeu:

— Quanto mais cultura, mais capacidade um povo tem para rejeitar um novo Hitler.

— Muito bem. No entanto, pense comigo. A Alemanha pré-nazista era o berço da fina flor da filosofia e da cultura ocidental, porém, isso não foi suficiente para vacinar o país. A filosofia de Kant, Hegel, Schopenhauer, Nietzsche estava nas páginas dos livros, mas não nos alicerces da psique da juventude nazista. Não basta lê-los, é preciso vivê-los. Quando os livros não estão dentro dos alunos, espere tudo de uma nação. Livros nas bibliotecas são inúteis, não são livros, são papéis e tinta.

Nesse momento, o Semeador de Ideias fez uma pausa e retornou ao seu grande sonho:

— Vivemos, como já lhes disse, na era do *fast-food* intelectual, em que tudo é rápido e pronto como um hambúrguer. Não estamos elaborando as informações, nem promovendo o raciocínio esquemático, a arte da pergunta ou o idealismo. Tenho pensado muito num novo modelo de sociedade, mas... — Antes de ele completar a frase, lembrei-me do que me segregara e comentei com entusiasmo:

— Por que não, Mestre? Sim, por que não criamos as bases de uma nova sociedade, uma nova maneira de ser e agir? Por que não saímos desta grande metrópole, poluída, agitada e habitada por seus inimigos, e partimos para uma cidade distante, pequena, tranquila?

Quase todos se animaram com ideia. Mas alguns discípulos reagiram.

— Mas isso seria loucura! — observou Jacob. — Como essa sociedade seria financiada?

— Jacob é materialista! Dorme e acorda pensando em dinheiro! — esbravejou Salim.

— Não me provoque! Você acha que, como miseráveis, chegaremos a algum lugar? Não seja tolo!

O clima esquentou, e ficamos aborrecidos com aquele atrito. Ambos eram novos no grupo e de caráter forte. Para minha surpresa, o Semeador de Ideias uniu as opiniões divergentes:

— Diversas vezes, ao me deitar sobre colchões duros e olhar para os tetos frios e desbotados dos viadutos e dos albergues em que dormimos, pensei na sociedade dos sonhos. Ponderei usar dinheiro para realizar esse projeto, mas lembrei-me de que o poder compra bajuladores, mas não verdadeiros amigos; compra uma cama confortável, mas não o descanso; compra alimentos, mas não o prazer de comer.

Mônica, romântica que era, mesmo sabendo da sua resistência, se animou com a sociedade dos sonhos. Suas palavras funcionaram como uma suave brisa:

— Já pensou em sair dessa fábrica de ansiedade, ser amigo da paciência, andar mais devagar? Fazer as coisas passo a passo? Sentir o perfume dos alimentos?

— Já imaginou não sofrer pelo futuro nem ser uma máquina de preocupação? — continuou Salomão, o mais jovem dos discípulos, sempre preocupado com doenças.

— Já pensou em viver sem se preocupar com os olhares sociais? — disse Bartolomeu.

— O quê? Você se preocupa com a opinião dos outros? Mas você não fala o que quer, quando quer e na hora que quer? — perguntei ao falastrão.

— Conheces, meu amigo, as cachaças que tomo, mas não os monstros que me fazem beber... — confessou ele, lembrando-se da metáfora do edifício. Parecia incrível, mas até ele tinha as loucuras dos "normais".

— Poderíamos contemplar a natureza, andar descalços na terra, ter tempo para conhecer as alegrias e as lágrimas uns dos outros. Eu viveria mais vinte anos — disse a idosa professora

Jurema do alto dos seus mais de oitenta anos, com o coração e os pulmões já debilitados. Sabia que tanto ricos como pobres são paupérrimos no banco do tempo.

A sociedade dos sonhos rapidamente caminhou pelas comunidades virtuais e se tornou alvo de debates. Estávamos num dilema — ou levaríamos adiante esse projeto, ou desfaríamos o grupo e iríamos cada um para seu espaço: eu para a universidade, Mônica para o mundo da moda, Bartolomeu e Barnabé para a boemia, Salim para sua comunidade e assim por diante. E o Mestre retomaria a direção das suas empresas.

Resistíamos a nos separar; entretanto, estávamos ficando famosos demais para viver numa grande metrópole. O Mestre tinha virado atração turística. Havia mais de cem guias especializados em fazer excursões para turistas das mais diversas nações ouvirem seus pensamentos e, obviamente, presenciarem suas críticas e seus escândalos. Alguns jornalistas faziam plantão para noticiar seus comportamentos. A caríssima liberdade estava se evaporando como chuva fina sob o escaldante sol de verão.

Devido às preocupações do Mestre quanto ao estabelecimento da sociedade dos sonhos, deixamo-la em *standby*. Mas eu e meus amigos queríamos sair da masmorra do tédio e prosseguir. Desejávamos dar um exemplo, ainda que tímido, de que grandes montanhas se formam com diminutos grãos de areia.

CAPÍTULO 7

Dois homens, duas maneiras de pensar a humanidade

O desabamento das ações da You&Game era a pauta central da fala de Sagan na reunião semestral do conselho de acionistas. Muitos haviam empenhado as economias de uma vida inteira para comprá-las. Esperavam ter uma aposentadoria tranquila, mas, pelos últimos acontecimentos, agora parecia turbulenta. Taquicardia, mãos frias, musculatura contraída, apreensão. Todos procuravam ansiosos as explicações e as soluções do presidente, como quem procura abrigo em tempestade. Alguns, sob ataque de fúria, comentavam que Sagan era o grande culpado pela crise e, portanto, deveria ser punido severamente.

O presidente atrasou-se quinze minutos. Estava preparando as informações e treinando seu discurso, para não decepcionar os 110 participantes. Se tivesse desempenho ruim, pediriam sua cabeça na reunião do conselho, seria cortado da direção da empresa que fundou e deixaria de receber os escandalosos dividendos anuais. Tornar-se-ia um mero acionista da companhia. Sagan não viu na lista dos presentes um representante do maior acionista, o megainvestidor que abrira o capital da empresa, mas sabia que seria cobrado posteriormente.

Depois de vários comentários triviais, ele foi ao ponto nevrálgico. Logo de início, discorreu sobre a reportagem feita por Ana Cláudia e a reação em cadeia que gerou, mas a plateia estava inquieta, cética e crítica.

— Contratamos um grande escritório de advocacia para processar a jornalista e o jornal que veiculou sua matéria. Também estamos cuidando da repercussão no restante da mídia. Fomos caluniados, execrados, injustamente. Mas já temos os primeiros resultados de nossas medidas. O jornal aceita entrar em acordo. Seus dirigentes querem despedi-la para terminarmos o processo. Estamos pensando na melhor saída.

Ana Cláudia estava insone. Desde que publicara a matéria já não tinha mais liberdade nem influência na redação. Se a You&Game, por meio do seu poderoso escritório de advocacia, influenciasse os tribunais e ganhasse a ação contra seu jornal, a indenização seria altíssima. Poderia fechar as portas.

— Essa calúnia é obra da concorrência — afirmou sutilmente Sagan para uma plateia ainda desconfiada e completou: — A matéria foi encomendada pelos que nos temem. Estamos rastreando as tramas dessa armadilha. Somos a maior empresa de *videogames* hoje. E, segundo os dados que temos e as projeções realizadas com base nos lançamentos que faremos, caminharemos, sem margem de dúvida, para ser a maior indústria de entretenimento do planeta.

Vendo na face dos acionistas um breve alívio, o executivo elevou o tom de voz:

— Senhores! Levantem o semblante. Seremos, em dois anos, maiores do que os três grandes grupos de estúdios de cinema juntos e do que as grandes redes de TV. Ninguém nos tirará dessa posição, nenhuma reportagem, nenhuma calúnia, nenhum acidente. Estou sendo honestíssimo com os senhores!

Sagan recebeu uma salva de palmas de um terço dos acionistas, dentre os quais alguns aduladores, que tinham sido convocados para aclamá-lo durante sua fala. Cada um receberia um pequeno e oculto presente, vinte mil dólares, e outras promessas.

Paralelamente à reunião de Sagan na You&Game, o Mestre estava reunido com seu pequeno grupo de discípulos na Praça das Três Américas. Dois homens, duas histórias, dois tipos de ambição, duas visões de mundo. O Mestre nos disse:

— O *Homo sapiens* é um especialista em mentir. Sessenta por cento das pessoas mentem pelo menos dez vezes por dia.

Muitos dos que o ouviram ficaram chocados. "Mentimos tanto assim?", pensaram. Eu não me abalei, pois sabia das estatísticas da sociologia. Por mentira, queria dizer toda fagulha de desonestidade para levar algum tipo de vantagem: dados falsos, disfarces, simulações, hipocrisia, maquiagens, distorções. Tomei a frente do Mestre e comentei:

— Quantas pessoas nos perguntam se estamos bem e dizemos que sim, embora estejamos tensos ou angustiados? Quantas vezes elogiamos por fora e criticamos por dentro, falamos bem na frente e metemos a boca por trás? Quem, às vezes, não usa o sorriso para disfarçar sua ansiedade?

— Quem não aprende a ser transparente pode levar para o túmulo suas mazelas e seus conflitos — completou o Semeador de Ideias. Em seguida, nos perguntou, para nossa surpresa: — O que acham? Eu sou transparente?

Todos nós respondemos, sem titubear, afirmativamente. Mas ele nos advertiu:

— Acabaram de ser desonestos. Como podem afirmar que sou transparente se não conhecem os andares mais ocultos da minha personalidade? Pois lhes afirmo: todos os dias faço provas na escola da transparência, e não poucas vezes sou reprovado. Sou um aprendiz. E vocês?

— Eu sou um mentiroso, simulador, descarado, sem-vergonha. Minhas notas eram zero, hoje faço alguns pontinhos — afirmou Boquinha, que estava se transformando, pouco a pouco, em um maduro Bartolomeu.

Constrangido e pensativo, o Prefeito soltou esta:

— O dia em que você achar um político que não mente desconfie da sua espécie.

Demos gargalhadas. O Prefeito vivia disfarçando suas reais intenções, mas estava começando a ser um aluno aplicado na escola da transparência. Todos nós estávamos aprendendo que era relaxante reconhecer nossas tolices, mapear nossas maquiagens, pedir desculpas, deixar de lado nosso falso moralismo.

Sagan era um mentiroso. Mentia tanto que tinha fé inabalável nas próprias mentiras. Quanto mais enriquecia, mais aumentava o débito com sua consciência. Nunca pedia desculpas, nem assumia seus erros, muito menos suas incoerências. Era mestre em colocar a culpa nos outros. Parecia infalível. Estava apto a conviver com *videogames* e máquinas, mas não com seres humanos. Se não conquistava as pessoas, comprava-as. Tentando enredar os acionistas, ele disse na reunião:

— Sei que estamos passando por algumas dificuldades, mas eu sou pai e mãe dessa companhia. Eu a conheço, eu a criei, eu a alimentei. Confiem em mim, superaremos 100% essa crise, e em grande estilo.

Ao mesmo tempo que Sagan se autoexaltava, o Mestre nos dizia:

— Cuidado! Quem usa o pronome "eu" excessivamente tem vocação para ser deus, e não humano. Fujam desses tipos. Quando contrariados, podem eliminar até seus amigos mais íntimos. E, se tiverem poder político, poderão ser ditadores. Usem o pronome "nós" sem economia e treinem a arte da gratidão para com seus pares. Para alguns filósofos, "a gratidão é a mais difícil característica a ser conquistada e a primeira que se perde".

O executivo da You&Game jamais agradeceu aos pais a vida, aos colegas de trabalho a cooperação, aos professores o conhecimento, bem como aos garçons, ao lixeiro, ao porteiro, ao segurança os serviços. Sequer agradecia ao seu corpo. Era carrasco dele, tratava-o como escravo. Bebia três doses de uísque escocês por dia, não fazia exercícios, não tinha alimentação regular nem balanceada, dormia de quatro a cinco horas por noite e era viciado em *videogames* para adultos. Tinha quatro amantes, uma companheira mal-amada e um filho, Alex.

— Por que cresceremos muitíssimo? Por que nada nos deterá no futuro? Por que nossas ações voltarão às nuvens e atingirão a estratosfera? — perguntou convictamente o presidente à plateia de acionistas, que já estava um pouco mais aliviada.

Um acionista respondeu:

— Porque no futuro o ser humano viverá isolado em sua casa.

— Parabéns! No futuro breve cada casa será uma ilha, cada apartamento, um oásis particular. As pessoas não querem saber de conversas tolas sobre a vida dos outros, sobre política, religião ou economia. Elas querem se entreter, se divertir, se encantar com a existência.

As reuniões filosóficas com o Mestre eram bem diferentes das reuniões da You&Game. Nestas, um homem era exaltado, enquanto nas nossas a vida era a grande homenageada. Na

You&Game, os números e os ganhos financeiros falavam mais alto; em nossos encontros, as funções mais nobres da inteligência ganhavam relevância. Na You&Game, os acionistas eram convocados; em nossas reuniões, a participação era espontânea, vinha quem desejava. Lá, torcia-se pelo isolamento social; em nossa roda de ideias, faziam-se todos os esforços para a socialização. A questão é que a You&Game navegava em céu de brigadeiro; nós, ao contrário, nadávamos contra a corrente do sistema.

Para o Semeador de Ideias, o ser humano estava perdendo os mais básicos de todos os fenômenos sociais: as pontes de cruzamento interpessoal, construídas pela ferramenta do diálogo. Horas de TV, de internet, de jogos, de música eram mais agradáveis do que parcos minutos de conversa. Para ele, até o gosto por assuntos tolos era importante para romper as algemas do isolamento social. Preocupado com o tema, perguntou à plateia:

— Quando vocês veem um mendigo falando consigo mesmo, a que diagnóstico chegam?

Muitos disseram, sem titubear:

— Eis um louco! Um maluco!

E, lembrando-se do debate sobre a solidão que fizera na fatídica praça em que quase foi linchado, o Mestre novamente perguntou:

— Sabem por que os mendigos e os portadores de psicose falam sozinhos? Quando não têm personagens reais com quem se relacionar, eles os criam em seu psiquismo; caso contrário, implodem seu sentido existencial, vivem o caos da solidão. Os que embotam seu imaginário, angustiam-se mais.

O projeto de Sagan conduziria o ser humano a ensimesmar-se, silenciar-se. O apogeu da indústria do entretenimento ilharia mais ainda o ser humano à medida que criasse uma fonte de estímulos prazerosos jamais vista na história da humanidade, que substituiria o prazer do diálogo.

— O teatro e as olimpíadas gregas foram experiências banais perto de nosso projeto. O futuro pertence à You&Game. O mundo virtual em 3D e a integração de TV, internet, telefone, cinema, *e-book* causarão uma revolução nas relações humanas — e Sagan continuou falando de alguns produtos da You&Game que eram segredo, mas, por causa da queda das ações, precisavam ser revelados. — As TVs integradas funcionarão como *e-books* e *audiobooks*, pelas quais será possível ler e ouvir livros.

Sua fala foi tão impactante que começou a fazer delirar a plateia. Só faltou dizer que as sociedades modernas poderiam se tornar um hospício coletivo, cada um em seu quarto, cada um em seu mundo. Animadíssimo com a reação dos acionistas, ele continuou:

— Com nossos programas, as pessoas não apenas farão amigos virtuais, como também participarão de olimpíadas, competições esportivas nacionais e internacionais, safáris e uma série inimaginável de aventuras interativas virtuais. Imagine você, em 3D, numa *big* tela, entrando na savana africana e tendo a real sensação de que está sendo caçado por um leão faminto. De repente, sente as garras do felino entrando em sua pele, dilacerando músculos, sangrando artérias, e você não se entrega, escapa dessas garras e mata o predador. O êxtase que a plebe romana sentia no Coliseu ao ver um gladiador destroçando ou matando feras estará disponível para a humanidade. Não daremos pão, mas daremos muito, muito circo...

Os acionistas ficaram perplexos, sentiram calafrios na espinha e os pelos da pele eriçados. E começaram a pensar em comprar mais ações da companhia.

Do outro lado, o Mestre disse com ar de tristeza:

— Os jovens sempre criticaram a loucura dos adultos. Independentemente dos excessos cometidos pelo movimento *hippie* e pela contracultura, eles representaram a reação da juventude contra os líderes sociais que queriam enfiar goela abaixo da população suas insanidades. Mas onde estão os jovens idealistas? Os que lutam pelos seus direitos? Os "rebeldes" que acusam as aberrações do sistema social? Pela primeira vez foram calados. O veneno do sistema foi tão penetrante e eficiente na era digital que os entorpeceu. Como dependentes, eles o querem em doses cada vez maiores.

CAPÍTULO 8

Um vendedor de ilusões

A poderosa You&Game cresceria para níveis estratosféricos, segundo Sagan, se amadurecesse e materializasse os grandes projetos em andamento. Ela seria, nos próximos dez anos, mais valorizada que as grandes companhias de petróleo. Era um sonho com muitas ilusões. A era digital e a realidade virtual faziam grandiosas promessas, como se fossem uma nova e reluzente religião, a religião do entretenimento. A psicologia e a sociologia assistiam, passivas, a um movimento social jamais imaginado.

Antes do século XX, a maioria dos seres humanos não se distanciava mais do que dez ou vinte quilômetros da sua residência. Saíam do útero materno e entravam no útero social, e raramente se afastavam das fazendas, vilarejos ou cidades onde moravam. Com o advento dos transportes terrestres, movimentaram-se até cem, mil quilômetros. Com a indústria da navegação e os transportes aéreos, percorreram continentes, circundaram o planeta. Na era digital, um movimento social chamado pelo Semeador de "retorno à ilha" estava invertendo o processo rapidamente. Homens e mulheres se enfurnariam em seus guetos, nos espaços de sua casa. Diminuiriam a frequência de visitas a parques, museus, casa de amigos.

Para Sagan, o ilhamento humano era muito diferente do isolamento social. O ser humano se isolaria fisicamente, mas se conectaria virtualmente. Era a sua sociedade ideal, muito diferente da que almejávamos. Em menos de quinze minutos terminaria a reunião de acionistas da You&Game. Nessa altura, Sagan afirmou categoricamente:

— Não apenas todo ser humano é uma ilha, mas sua vida social será também uma riquíssima ilha. A sociedade virtual gerará um controle de comportamentos sem extirpar a liberdade. De acordo com os futurólogos, por vivermos em ilhas, a segurança aumentará, e a violência social, a criminalidade, o *bullying* escolar, as greves e os acidentes de trânsito desabarão. E o terrorismo? Também. A indústria do entretenimento virtual contagiará homens e mulheres do Oriente Médio e fará o que as armas americanas não fizeram. O ser humano do futuro será solitário fisicamente e supersociável virtualmente. E esse homem será mais seguro.

Do outro lado, o Mestre, em nossa reunião, nos dizia:

— A tecnologia mecânica, do uso de animais ao das máquinas, nos levou ao encontro do mundo. Agora, a tecnologia da era virtual traz o mundo ao nosso encontro. Roma vem aos romanos, a Academia grega vem aos gregos, a universidade vem aos alunos, os amigos vêm ao nosso espaço, a floresta vem ao turista, o estádio vem ao torcedor, o teatro vem ao espectador. O "retorno à ilha" é movimento único, jamais presenciado na história. Vantagens existem, mas os riscos são muitos. Poderemos formar uma massa de consumidores passivos, de pessoas mentalmente preguiçosas, que não criam, não pensam criticamente, não interpretam, não se preocupam com a dor do outro.

Enquanto isso, um dos acionistas ficou tão animado com a promessa de diminuição acentuada da criminalidade e violência social profetizada por Sagan que perguntou:

— E o número de pessoas deprimidas? E o suicídio? Vivendo o *Homo sapiens* em ilhas, o suicídio também cairá?

Mark Sagan engasgou. Engoliu a saliva duas vezes, recompôs-se e afirmou, sem margem para discussão:

— Claro que o índice de suicídios declinará. As pessoas serão mais felizes e menos entediadas. A era digital se transformará num antidepressivo coletivo e, certamente, muito mais barato.

O executivo amava inovação e era um perito em se adiantar no tempo e descrever tendências; mas era também um especialista em dissimulações e um mestre em dar chutes no escuro. Essas observações eram apenas hipóteses, e, diga-se de passagem, perigosas. Mas, como na bolsa de valores o céu e o inferno estão muito próximos, qualquer notícia poderia animar ou desestimular os investidores. Esperto que era, Sagan noticiava bombasticamente, sem ética, aquilo em que acreditava. Valia tudo para continuar sendo o presidente da empresa. Cachorro magro não larga o osso. Sagan era como um animal que prendia a presa entre seus dentes e não a largava em hipótese alguma.

De outro lado, o Mestre, por experiência própria, comentava que uma das causas do aumento assustador dos transtornos psíquicos é o ser humano se sentir só no meio da multidão. Isolar-se é a melhor maneira de nutrir os monstros alojados em nossa mente.

— A vida é um espetáculo, mas, sem a mínima plateia, ela pode se tornar um espetáculo sem sabor — alertou.

De repente, algo surreal ocorreu. Uma pomba branca voou ao redor dele. Ele estendeu seus braços e ela ali pousou. Um silêncio se interpôs no grupo. Todos admiraram sua relação estreita com os animais. Inspirado e contrariando a tese de Sagan, o Mestre disse:

— Esperávamos ter a geração de pessoas mais felizes de todas as eras, pois nunca a indústria do entretenimento se multiplicou como nesses tempos; mas nunca tivemos uma geração tão triste e estressada. Isso não os perturba, senhores e senhoras? Por que está ocorrendo esse paradoxo?

Muitos dos seus discípulos eram ansiosos e tinham uma série de sintomas. Ele observou nossas faces, fez uma pausa e acrescentou:

— A ansiedade estimula a curiosidade, a observação, a ousadia; sem ela, portanto, não haveria evolução humana, mas com ela não é possível ter qualidade de vida, em especial quando é intensa, fruto de uma mente hiperacelerada e hiperpreocupada. A sociedade tornou-se uma fábrica de pessoas ansiosas, e a indústria do lazer não ataca as causas dessa fábrica, apenas produz anestésicos.

E, do lado oposto, Sagan garantia:

— Não apenas mergulharemos os seres humanos na fonte mais excelente de estímulos prazerosos, como faremos uma revolução na medicina. Em cinco anos, grande parte das pessoas não precisará ir mais a consultas médicas. A plateia de acionistas fez um silêncio cálido. E Sagan sentenciou:

— Os pacientes, conectados por aparelhos, poderão ser examinados em sua própria casa por seus médicos e em tempo real receber uma prescrição. Observar a pressão sanguínea, medir os batimentos cardíacos, analisar a temperatura, fazer exames de sangue e até ultrassonografia não precisarão mais acontecer em consultórios e clínicas. As clínicas da atualidade serão currais arcaicos de diagnóstico. — Depois, afirmou com segurança: — Será a socialização da medicina. Os médicos serão operadores de programas de computador. Os computadores farão diagnósticos precisos e mais baratos que a antiquada medicina convencional.

O Mestre, por outro lado, nunca se esqueceu da luta do psiquiatra Marco Polo para humanizar a medicina. Para ele, a relação médico-paciente era insubstituível, cada paciente deveria ser tratado não como uma doença nem como um diagnóstico, mas como um ser humano complexo e completo. Por isso, apontou:

— Estamos perdendo a essência. Detestamos lixo sobre a mesa de trabalho, mas não nos importamos em acumular lixo em nossa psique. Visitamos outros países, mas não os espaços íntimos da nossa alma. Somos uma espécie estupidamente superficial. A era digital é deslumbrante, mas poderá sangrar a humanidade de homens, mulheres e crianças. Aproximaram-nos do mundo, mas nos distanciaram de nós mesmos.

Ao mesmo tempo, Sagan falava de outra maravilha da era virtual:

— Controlaremos a superpopulação mundial, senhoras e senhores. Por quê? Porque o interesse pelo sexo real, concreto, entre os humanos esmaecerá. Freud vai se revirar em seu túmulo. O sexo virtual será moda. Uma pessoa poderá acionar seus instintos na realidade virtual, simular uma relação sexual, toques, abraços e afeto, com maior eficiência e por bem menos do que se paga a uma prostituta. Além disso, o corpo poderá envelhecer, mas um casal de apaixonados preservará o seu "avatar" com um corpo jovem. E com esse corpo virtual poderão se amar e se acariciar indefinidamente.

A plateia de acionistas, nesse momento, entrou em êxtase. Vários deles estavam sexualmente impotentes devido à sobrecarga de estresse gerada pela queda das ações e pelo acompanhamento diário das cotações. Em coro, aplaudiram-no. Certamente suas aposentadorias estariam mais do que garantidas com os mega-projetos a serem concretizados em uma década.

Convenceram-se de que nos próximos anos se tornariam milionários. As ações se valorizariam no mínimo mais 1.000%. Diversos acionistas tiraram do bolso seus *smartphones* de última geração e começaram, euforicamente, a fazer contas e projeções. Mudaram o pensamento. Fascinados, passaram a acreditar que a atual queda das ações da empresa era uma dádiva, e não um problema. Era uma oportunidade de ouro para comprar novos lotes. Sacariam seu dinheiro em bancos, fariam empréstimos, venderiam ativos, inclusive suas próprias casas, e aplicariam tudo na You&Game.

Ao encerrar a gloriosa reunião semestral na You&Game, Mark Sagan estava tão eufórico que começou a ter tiques. Piscava os olhos sem parar e apertava os dedos das mãos continuamente. Sua finalização foi bombástica:

— Como sempre lhes afirmei, o dinheiro não traz felicidade, manda comprá-la. Eu os enriqueci. E os enriquecerei muito mais. Perdemos hoje, mas ganharemos muito mais amanhã. Somos os melhores. A You&Game é imbatível. Confiem em mim! – E repetiu diversas vezes: — O futuro é nosso!

Todos o acompanharam no solene alarido:

— O futuro é nosso! O futuro é nosso!

Sagan foi ovacionado, todos em pé. Emocionados, uns abraçavam os outros. Alguns acionistas se culparam por ter pensado em pedir sua cabeça na reunião do conselho. Era incontestavelmente um homem eletrizante. Rapidamente, Sagan deixou a plateia para se preparar para o megaevento dos melhores profissionais do ano. Na realidade, pagara caro pela premiação; afinal de contas, pensava ele, "a You&Game precisa resgatar sua imagem". E sigilosamente lhe contaram o que já sabia: ele era um dos escolhidos. Mas, antes de sair do anfiteatro, pegou novamente o microfone e fez uma breve autopromoção:

— Não é sem razão que lhes comunico que serei premiado esta noite, na brilhante festa dedicada aos melhores do ano. — Levantou a mão direita com o punho cerrado e brandiu: — Mas dedico esse prêmio a vocês, a todos vocês. Muito obrigado. Vocês são a razão da minha luta. Eu os amo. — Assovios, palmas e lágrimas tomaram conta dos acionistas.

Nesse momento, o Mestre também encerrava nossa reunião. Suas últimas palavras não poderiam ser mais apropriadas:

— Os depressivos são reféns do passado, os megalomaníacos são donos do futuro. E os que procuram ser saudáveis? Não se sentem proprietários do tempo nem da vida. Vivem humildemente, e sem pressa, cada dia, como um novo *show*. Pois sabem que o espetáculo pode findar a qualquer momento...

CAPÍTULO 9

Invadindo o território das celebridades

O Semeador de Ideias nem sempre tranquilizava os ânimos. Algumas vezes, "vendia" escândalos e tumultos sociais. Tinha particular apreço por abalar mentes incautas, autoritárias, preconceituosas e, em especial, ávidas pelo estrelismo social. Interrompia corajosamente eventos, congressos, aulas nas universidades, para expressar suas ideias. O transtorno que causava era sempre imprevisível. Para ele, as reuniões sociais e as aulas não deveriam ser um culto ao silêncio, mas ao debate. Era brando, mas intrépido; generoso, mas ousado. Não pedia licença para falar.

Logo após seus últimos comentários, fizemos uma pausa para digerir seus pensamentos. Mas nossas mentes foram perturbadas pelo pomposo cortejo das estrelas que participariam da cerimônia que premiaria os melhores profissionais do ano da indústria do cinema, TV, música, entretenimento. O concorridíssimo evento aconteceria a poucas quadras do local onde estávamos, no luxuoso International ML Center, um dos maiores centros mundiais de feiras e congressos.

Limusines e outros carros luxuosos traziam celebridades, inclusive ícones do mundo financeiro, da política, da tecnologia. Os simples mortais ficavam apequenados diante do *glamour*. Os carros das reportagens das redes de TV e dos jornais perseguiam os famosos com suas câmeras. Os repórteres, assim como nós, não tinham nenhuma pompa, pareciam formigas atraídas pelo açúcar, querendo noticiar as estrelas da sociedade. Nada era mais superficial, mas esse era o jogo do sistema. O Mestre viu aquele movimento todo e, diferentemente de nós, seus olhos não foram cativados. Insatisfeito, dissipou o silêncio e manifestou seu pensamento, proclamando:

— Sociedade débil, que amas a imagem, mas não o pensar! Que valorizas a embalagem, mas não a mensagem! O que te atrai que não te trai? O mel que te farta é o veneno que te mata!

E citou um pensamento budista:

— "Um dia vivido com sabedoria é melhor do que um século de ignorância sem contemplação".

Após recitar essas palavras, imaginei que o Mestre quisesse ir para bem longe do mundo das etiquetas, um local distante da agitação. Para meu espanto, entretanto, ele se levantou e caminhou em direção ao tumulto. Fiquei intrigado. Não nos convidou para segui-lo, mas, como sempre, nos levantamos e o acompanhamos. Ao nos aproximarmos do local, a ansiedade era gritante. Milhares de pessoas estavam do lado de fora do ML Center, isoladas por um cordão e por um batalhão de policiais. Deliravam quando cantores, artistas de cinema, diretores de programas de TV, políticos, empresários transitavam sobre o tapete vermelho. Inquieto, o Semeador de Ideias disse:

— O *Homo sapiens* tem tendência à servidão. Cria deuses com incrível facilidade!

Tocando as pessoas delicadamente, procurava atravessar a multidão. Era uma árdua tarefa. Algumas o olhavam de cima a baixo e lhe davam passagem pelo seu magnetismo. Outras ficavam indignadas com o ímpeto do mendigo de furar a fila. Nós o acompanhávamos com dificuldade. Logo nos aproximamos da entrada por onde passavam os famosos, com reluzentes joias, trajando Armani, Yves Saint Laurent, Calvin Klein, Gucci, Prada. Poses para os *flashes* e ângulos para a TV deixavam o cérebro dos notáveis em êxtase, e o dos anônimos, que neles se projetavam, em incontrolável euforia. Não poucos acreditavam que eram supra-humanos, com vocações messiânicas, ainda que não o confessassem.

Ao ver nossas vestes, o imenso grupo dos comuns achava que éramos palhaços contratados para animar a festa, que tínhamos errado a porta de entrada. Outros torciam o nariz e zombavam, como se fôssemos um bando de doidos saídos de um manicômio. O Prefeito e Bartolomeu contribuíam para essas interpretações, fazendo gestos tresloucados por onde passavam. Foram meninos abandonados, privados do essencial. O evento os fascinava. De tão excitados faziam gracejos. Não porque queriam estar acima dos outros, mas para superar as marcas do submundo social em que viveram.

— Querem um autógrafo, garotos? — perguntou o Prefeito para alguns jovens universitários.

Eles, curiosos, lhe devolveram outra pergunta:

— Você é uma celebridade?

— Sim! Uma grande celebridade — confirmou o Prefeito.

Bartolomeu tomou a frente e explicou a identidade da "celebridade":

— É o maior boêmio e o político mais corrupto do século!

Os jovens fugiram dos dois malucos. Enquanto saíam, caíram na risada. Depois do breve relaxamento, fiquei pensativo. Se éramos críticos do sistema social, aquele lugar não era para gente da nossa linhagem. Tinha convicção de que não havia espaço para o Mestre penetrar no ambiente fortemente guarnecido. Além disso, o ufanismo dos anônimos diante das celebridades era tão grande que nada se ouvia em meio à algazarra.

Quando tudo parecia tranquilo, eis que o Mestre subiu em uma pilastra na entrada do edifício e começou a criticar o evento internacional. Minha tensão aumentou e migrou do cérebro para os músculos. Fiquei trêmulo. Pensei comigo: "Desta vez, vão linchá-lo".

Aos brados, ele perguntou:

— Quem são vocês? O que são vocês? — Não se dirigiu às celebridades que estavam passando no momento, mas aos anônimos.

E repetia essas indagações. Simultaneamente, as pessoas mais próximas também perguntavam umas às outras:

— Quem é o maluco? O que faz aqui? Por que chama atenção para si?

Algumas diziam:

— Só pode ser um frustrado querendo chamar a atenção da mídia.

Outras, ainda, gritavam diretamente para ele:

— Cale a boca! Quieto aí, seu doido varrido!

Mas o Mestre não se intimidou. Olhando firmemente para a plateia, apontou o dedo indicador da mão direita para as celebridades que caminhavam no meio de um cordão de fila dupla de seguranças e, aumentando o tom de voz, declarou:

— Por que vocês reduzem sua complexidade diante desses simples mortais? — Ele falou com tanta convicção que dezenas de pessoas se aquietaram imediatamente, como se tivessem levado um choque elétrico. E, sem meias palavras, retomou suas primeiras perguntas: — Olhem no espelho da sua mente! Quem são vocês? O que são vocês?

Nesse exato momento, Mark Sagan, o todo-poderoso da indústria do entretenimento, desfilava espetacularmente. Sorria como um rei. Esperava ansiosamente pelos *flashes* e *closes*, mas boa parte das câmeras estava direcionada para o amotinador. Ele sentiu o duro golpe. Como a voz do Semeador de Ideias era grave e seu timbre estava elevado, suas palavras chegaram ao executivo da You&Game.

— São vocês menores e menos sofisticados do que esses simples humanos que são as revelações do ano? Vivam um dia com aquele sujeito — e apontou para Sagan — e se decepcionarão! Reações incoerentes, estupidez, manias, preocupações tolas fazem parte do cardápio mental dele, do seu, do meu e de qualquer humano!

Sagan entrou em pânico. Recebera um segundo golpe, mais forte ainda. Tinha convencido havia poucas horas os acionistas de que era o melhor dos melhores das finanças e do mundo digital, e agora um esfarrapado denegria sua imagem publicamente. Bufou de raiva. Paranoico que era, pensou: "Só pode ser calúnia orquestrada pela concorrência". Mais e mais pessoas começaram a prestar atenção no maltrapilho. Num raio de trinta metros, todos estavam atentos ao estranho. Subitamente, alguns descobriram que o denunciador era ninguém menos que o personagem que perturbava a grande cidade com suas ideias. Um contou para o outro, e a notícia foi se propagando. Tomaram-no por uma celebridade. E o Mestre continuava provocando-os.

Por instantes, o executivo olhou furiosamente para o Mestre e este para ele. Sagan levou um susto, parecia que o conhecia, mas, observando suas vestes, achou que se enganara, pois era impossível um homem fino como ele se envolver com miseráveis. O Semeador de Ideias, vendo que o executivo queria comê-lo com os olhos, o provocou mais ainda, proclamando:

— Continuem olhando para aquela celebridade. Penetrem nas entranhas do seu cérebro, percorram os espaços secretos do seu intelecto. O que descobrirão?

Um homem de cabelos grisalhos gritou:

— Estrume!

Sagan ouviu, e quis morrer.

O Mestre afirmou:

— Não encontrarão nada muito diferente do que encontram em vocês. Ele pensa, come, dorme, vai ao banheiro e morre como vocês. Acordem!

Muitos deram risada daquela conclusão, outros aplaudiram, mas o presidente da You&Game queria estrangular o maltrapilho. Suportou que as ações da sua empresa despencassem, mas não suportaria que um intruso o igualasse aos simples consumidores de seus magníficos produtos. Afinal de contas, não era mais um gênio, mas "o gênio". Furioso, fez um sinal com as mãos de quem queria assassinar o maltrapilho. Pegou seu celular e passou uma mensagem em código para seus seguranças particulares. Intrépido, o Semeador de Ideias completou:

— Nem mesmo um psicótico que perdeu os parâmetros da realidade, ou um depressivo que perdeu o encanto pela vida, tem menor grandeza intelectual do que aquele homem ou qualquer um de nós. Quem se diminui perante os outros comete um crime contra si, torna-se seu próprio carrasco.

Alguns da plateia gritaram:

— É isso aí!

Outros disseram:

— Nós também deveríamos ser fotografados!

Sagan começou a ficar trêmulo. Comparar sua brilhante

intelectualidade com a mente de um doente mental era uma heresia. Não sabia que as alucinações e os delírios de uma pessoa em surto psicótico, ainda que desconexos e perturbadores, tinham uma excelente pulsação criativa, produzida por uma dança incrível de fenômenos inconscientes. Ele engoliu em seco aquele desacato. Estava a ponto de ter um ataque cardíaco. Colocou o estranho que o desacatara na sua lista negra. O ícone da era digital entrou perturbado e sem demora no salão nobre. Mas, antes que saísse do alcance da sua voz, o Semeador de Ideias ainda teve fôlego para instigá-lo, agora diretamente.

— Estamos no apogeu da indústria do lazer e também dos transtornos mentais. Cedo ou tarde, mais de três bilhões de pessoas desenvolverão alguma doença psíquica ou psicossomática. Isso não o preocupa, senhor de terno preto e gravata de seda? — perguntou o Mestre a Sagan, que estava a quarenta metros, mas interrompeu seus passos e olhou para trás, assombrado com a indagação. Proferiu diversos xingamentos. Perdeu a cabeça:

— É mentira! Falso profeta! É mentira! Socialista psicótico! Você é um lixo social! Um terrorista!

Foi vaiado por dezenas de pessoas.

Eu ouvia tudo isso e tentava organizar na minha mente as estatísticas sociológicas que havia lido. E suava frio. Dos três bilhões de pessoas que adoeceriam em sua psique, mais de um bilhão teria uma crise depressiva. E, por preconceitos ou dificuldades de acesso, muitas não teriam tratamento psiquiátrico e psicoterapêutico. Ao que tudo indicava, o Semeador de Ideias tinha razão. A humanidade havia tomado o caminho errado.

O culto às celebridades, fossem artistas, esportistas, políticos, religiosos, empresários, era apenas um dos sintomas de que vivíamos na superfície da inteligência. Conhecemos átomos e planetas, mas não o nosso psiquismo. Admirar indivíduos era importante para gerar modelos de comportamento, para irrigar o processo de formação da personalidade, porém o culto à celebridade contraía o eu como protagonista da própria história. Parecia inofensivo esse processo, mas não era.

Era interessante observar os mecanismos que inibiam a mente das pessoas. Tinham a fala bloqueada, perdiam a espontaneidade, debelavam a segurança e, às vezes, até a capacidade crítica de pensar diante de seus ídolos. E esses processos eram inconscientes, produzidos por uma propaganda doentia. Ideias simplistas e superficiais, ditas por políticos, artistas e outras lideranças, eram recebidas como se fossem de grande estatura intelectual, enquanto ideias profundas, expressas por anônimos, nem sequer eram ouvidas.

Ao prestar atenção ao que dizia aquele estranho pensador, diversas pessoas, incluindo jovens, abraçaram o maltrapilho calorosamente e foram embora do International ML Center. Enquanto caminhavam, libertavam seus pensamentos. Começavam a se tornar atores críticos da sociedade, e não meros figurantes.

A inteligência daquele miserável mais uma vez me surpreendeu. Ele falou tudo, e muito mais do que eu e outros sociólogos gostaríamos de falar nas ruas, praças, fóruns, mas só tínhamos coragem de dizer no ambiente controlado e protegido da sala de aula. Éramos tímidos; ele, intrépido. Éramos preocupados com nossa imagem social; ele, com as pessoas. Brilhou intensamente como megaempresário, agora brilhava muito mais em seu novo negócio: o ser humano.

CAPÍTULO 10

Um homem perigoso

O tumulto causado do lado de fora do International ML Center já bastava para aquele dia. Era melhor partir para um lugar tranquilo. Até porque os seguranças já haviam se deslocado para deter o amotinador. Todavia, após receber os abraços dos jovens, em vez de se dirigir para a Avenida Saint Louis, caminho oposto ao evento, o Mestre tomou a direção da porta central de entrada das celebridades. Tentei dissuadi-lo:

— Mestre, o caminho para sairmos dessa agitação é daquele lado.

Mas ele foi lacônico:

— Quem disse que quero sair? Há muito tempo esperava para entrar.

Sem entender qual era sua intenção, minha ansiedade aumentou. Ponderei:

— Mas desculpe-me. Olhe o esquema de segurança. Observe a fila dupla desses "guarda-roupas". Ninguém passa por esses homens.

— O preço da omissão é mais barato que o da ação, mas suas consequências são maiores. Vá você e me deixe tentar.

O Prefeito, ingênuo como sempre, colocou combustível no seu ânimo.

— Fique tranquilo, Mestre. Eu lhe abrirei passagem.

— Conte comigo também, Mestre. Com minha lábia, os seguranças cairão de joelhos — afirmou Bartolomeu, o incontrolável Boquinha.

Esfreguei as mãos no rosto e pensei comigo: "Com esses dois, quem vai ficar de joelhos seremos eu e o Mestre". Dito e feito. Vendo a disposição dos dois discípulos e sabendo que eram ótimos para falar, mas péssimos para agir, o Mestre os estimulou a detonar a pedreira a sua frente.

— Ok! Abram passagem, eu os seguirei.

Eles começaram a tossir, coçar os olhos e respirar mais fortemente, mas foram para o sacrifício. Quando chegaram diante dos seguranças, usaram a lábia, argumentaram, pressionaram, mas nada. Ninguém os ouviu. Foram empurrados e ameaçados. Bartolomeu apelou:

— Aquele homem é poderoso — e apontou o Mestre. — Foi ele quem pediu passagem.

Os seguranças olharam o maltrapilho de cima a baixo, viram que era ele o tumultuador do ambiente e, pegando os dois "assessores" pela gola da camisa, lhes disseram:

— Caiam fora, vocês e o chefe dos lixeiros, e agora, senão levarão porrada e irão em cana.

O Prefeito se exaltou, sem saber do risco ao qual mais uma vez se exporia.

— Homens! Sabem quem sou? — disse em voz alta.

Três seguranças se aproximaram dele, com cassetetes em punho, e disseram:

— Não!

— Nem eu! — falou o Prefeito, mansa e timidamente.

Bartolomeu e o Prefeito saíram de fininho como cães vira-latas diante de fogos de artifício. Instantes depois retornaram até nós e, numa das raras vezes em que concordaram um com o outro, disseram:

— Não dá, Mestre. Nem uma mosca passa pelos brutamontes. Vamos embora.

Mas o Mestre entrou em ação. Chegou a vez de ele mesmo enfrentar as feras. Como já havia chamado a atenção de alguns seguranças pelo seu discurso, logo que pediu passagem recebeu uma bofetada. Quase caiu ao chão. De repente, viu um personagem e começou a gritar seu nome:

— Francesco! Francesco Talles!

Antes de conseguir chamar a atenção de Francesco, três seguranças à paisana, da equipe particular de Mark Sagan, se aproximaram do tumulto. Viram um volume estranho do lado esquerdo do seu *blazer* preto, velho e esfarrapado, e pensaram que se tratava de um terrorista. Pegaram-no pelo pescoço, derrubaram-no ao chão e o contiveram para revistá-lo detalhadamente. A violência foi de tal intensidade que o Mestre bateu a testa sobre o solo e ganhou um hematoma. Viram que o volume era um sanduíche de queijo, cujo pão estava endurecido. Em vez de se desculparem, quiseram levá-lo para uma delegacia local para abrir um inquérito.

Enquanto o conduziam, os seguranças diziam:

— Este lugar não é para gente da sua laia.

Mas o Mestre viu novamente o personagem que chamara e mais uma vez clamou:

— Francesco! Francesco Talles!

O homem estava passando pelo tapete vermelho, dentro do cordão de isolamento, com um aparelho nas mãos, comunicando-se freneticamente com outras pessoas. Não era uma celebridade, mas parecia um figurão no evento. Francesco virou-se, assustado. Provavelmente pensara que ninguém o conheceria naquela tensa multidão.

Procurou aproximar-se da voz que o chamara. Tentou olhar por cima, mas nada viu. Ultrapassou com facilidade a fila dupla de seguranças. De relance, viu um maltrapilho sendo levado para fora do ambiente. O Mestre virou-se e captou seu olhar. Cativado, ele bradou:

— Esperem! Quem é este homem? — perguntou Francesco. Para a perplexidade dos homens que o renderam, Francesco era o poderoso chefe de segurança local. Mas, como eles não faziam parte da corporação, não o conheciam.

— Foi você quem me chamou? Quem é você?

— Eu? É desnecessário dizer — respondeu o Semeador de Ideias com vibrante entonação.

Francesco olhou para o maltrapilho longamente. Começou a perder a cor. Ficou trêmulo. Quase sem voz, expressou:

— Não é possível! O boato é verdadeiro. Você está vivo! — e o abraçou com lágrimas nos olhos, afetuosamente.

Os seguranças, eu e os discípulos que estavam próximos ficamos atônitos. "De onde se conhecem?", pensamos.

— Eu gostaria de entrar — disse o Mestre delicadamente, como se estivesse pedindo um favor a um amigo para entrar numa festa para a qual não fora convidado.

— Pede a mim para entrar? — Nesse momento, pensamos que o pedido seria negado, mas, para a nossa surpresa, o poderoso chefe de segurança disse: — Por que não ordena? Você é um eterno convidado — afirmou o homem.

Eu quase caí das pernas com aquelas palavras. Bartolomeu e o Prefeito se entreolharam, surpresos. Sabíamos que o homem que seguíamos era poderoso, mas nem tanto. Seus comportamentos eram tão simples e despojados que tudo o que descobríamos sobre ele parecia uma miragem, irreal. E, pegando-o pelo braço, Francesco o levou para o tapete vermelho, pedindo a nós três que o acompanhássemos. Os seguranças intervieram no misterioso diálogo:

— Senhor, o que está acontecendo? Esse homem, há poucos minutos, estava tumultuando o ambiente. Parecia-nos perigoso.

— Eu sei, ele sempre foi um perigo.

— Mas, senhor, olhe suas vestes e sua aparência. Não é recomendável.

— Talvez ele seja o único digno do tapete vermelho. — Em seguida, observando o hematoma do Mestre, declarou: — Vocês cometeram uma grave injustiça. Feriram um homem pela aparência, foram escravos do seu preconceito. Serão punidos severamente.

— Não! Não os puna. Fui eu que provoquei essa situação — pediu o Semeador de Ideias. Suas palavras encerraram o assunto, e fomos conduzidos ao salão principal.

Ao passar pelos seguranças, Bartolomeu lhes disse:

— Tá olhando o quê, meu chapa!

E o Prefeito completou:

— Um dia vocês vão chegar lá!

Por onde o Mestre e nós, seus discípulos, passávamos, éramos estranhos no ninho. Os espectadores nos olhavam e ficavam escandalizados com um bando de mendigos frequentando aquele local chiquérrimo. Bartolomeu passou por um ator hollywoodiano em ascensão e lhe disse:

— Quer um autógrafo dessa celebridade? — e apontou para o Prefeito, que ficou saturado de orgulho.

O ator ficou indignado. Era uma estrela. Estava acostumado com *paparazzi*. Não admitia ser tratado como um anônimo por outro anônimo, e saiu a passos rápidos. Mas Bartolomeu interrompeu sua marcha, dizendo-lhe:

— Espere! Ele é um dos maiores críticos de cinema da atualidade.

— Ah! Desculpe-me. — Constrangido, o ator tirou um cartão do bolso, entregou-o para o Prefeito e o convidou:
— Vamos tomar um drinque uma hora dessas — e saiu.

O Prefeito perguntou baixinho para Bartolomeu:

— Eu sou crítico de cinema? O que é ser crítico?

Eu tomei a frente e, enquanto andávamos, respondi:

— Para uns, é discutir ideias.

E Bartolomeu completou:

— Para outros, é fazer o que você faz como um especialista: falar mal dos outros sem conhecer de quem fala, o que fala e as consequências do que fala.

— Sou bom nisso, mas estou melhorando.

— Melhorando ou piorando? — perguntei quase sem fôlego.

— Depende do ângulo, *my brother* — respondeu o Prefeito espertamente.

Subitamente, entramos no grande salão do evento. Ficamos impressionados com a pompa. Luzes multicoloridas cruzavam o ambiente; dezenas de enormes lustres de cristal, cujos metais eram folheados a ouro, caíam da abóbada; colunas arredondadas de mármore de Carrara sustentavam o imponente teto nas laterais; vitrais com motivos renascentistas decoravam as enormes vidraças; centenas de arranjos florais perfumavam o ambiente. Tudo para encantar os dois mil convidados e os vinte privilegiados que seriam homenageados. O evento seria transmitido em mais de cem países e visto por mais de um bilhão e meio de pessoas.

— Sentaremos nas últimas fileiras — disse o Mestre.

— Mas há poltronas reservadas para autoridades na primeira fila — comentou Francesco.

— Primeira fila. Eu gosto da primeira fila — disse o Prefeito, levantando as mãos.

Francesco pegou no braço do Mestre e o conduziu para a frente do espetáculo. Nunca tantos pares de olhos famosos foram colocados sobre nós. Eu os acompanhei constrangido, não conseguia nem andar direito. Mas imediatamente pensei comigo: "Primeira fila? Espero que o homem que sigo desfrute do *show* e fique plantado em sua poltrona. Caso contrário, a casa vai ruir". E eu estava coberto de razão.

CAPÍTULO 11

Escândalo num dia de *glamour*

O espetáculo começou no International ML Center. Balés clássicos, com dezenas de profissionais, faziam delirar nossas retinas. Cantores conduzidos por uma orquestra sinfônica entoavam belíssimas canções. E, como não podia faltar, apresentadores exibindo piadas curtas, ao sabor do clássico humor americano, relaxavam os espectadores. Em trinta minutos começaria a premiação.

Eu olhava para o Semeador de Ideias e o via saboreando o evento. Não havia nuvens em nosso céu. Talvez ele quisesse dar uma folga para a miserabilidade que enfrentávamos nas ruas. Respirei aliviada e profundamente, atenuei a tensão muscular e me entreguei também.

Após o majestoso espetáculo, dois famosos apresentadores — uma atriz de cinema e um diretor de programa de TV — apareceram com pompa e foram ovacionados demoradamente. Em seguida, começaram a congratular-se com aqueles que seriam escolhidos como os melhores profissionais do ano. Exaltaram os critérios de escolha de cada um na sua respectiva área. Comentaram que eram mentes inteligentes, poderosas, inovadoras, ousadas e competentes, verdadeiros gênios das sociedades modernas. Possuíam, portanto, as melhores habilidades no cinema, TV, música, literatura, internet e mundo digital. Era um evento que reunia toda a indústria do entretenimento. Depois desses comentários, os apresentadores recordaram um pouco a história da premiação.

Disseram que a ideia viera da mente de um homem que, embora morto, continuava vivo em nossas mentes e corações. Era um futurista inteligente, um *gentleman* preocupado com a humanidade. Enquanto os apresentadores falavam, o semblante do Mestre mudou. Para meu espanto e de todos os que acompanharam seus passos, ele saiu da sua poltrona e foi em direção à escadaria central que dava acesso ao palco. Gelei! Bartolomeu e o Prefeito começaram a suar frio e esfregar a face. Francesco estava perturbado. Não sabia como agir, e apenas conteve a ação de alguns seguranças mais próximos.

O maltrapilho foi subindo as escadas e entrando no palco, sem pedir licença e sem constrangimento. Os apresentadores acharam aquilo estranho, não estava no *script*, mas continuaram. Um burburinho começou a tomar conta da plateia. Enquanto isso, os apresentadores diziam que o idealizador da premiação construíra o magno anfiteatro e o doara para uma fundação. Comentaram que ele mesmo tinha sido agraciado três vezes como o melhor profissional do ano, não por seu portentoso poder, mas por suas notáveis capacidades.

Quando os apresentadores se deram conta, notaram que o estranho homem estava diante deles. Assustados, afastaram-se alguns metros do maltrapilho. A plateia, inquieta, começou a se perturbar. Não sabiam se ele era um ator, um espectador que furara o esquema de segurança ou um terrorista. Francesco tentava, como podia, controlar a invasão do palco pelos seguranças. Seria um escândalo internacional, pois as TVs estavam transmitindo tudo ao vivo. O homem que seguíamos pegou delicadamente o microfone sem fio, que estava sobre a mesa de vidro e seria dado aos premiados para que fizessem seus breves agradecimentos, e começou a falar:

— Estamos premiando os melhores profissionais da sociedade. Mas quem disse que vocês são de fato as estrelas sociais? Aqui se exalta o sucesso, promovem-se ícones sociais, mas quem disse que temos de aplaudir apenas o sucesso? Por que não chorar por ele? Que parâmetros são esses?

O burburinho deu lugar ao sobressalto; o sobressalto, a um sentimento conflitante. "Que ideias são essas? Chorar pelo sucesso? Nunca ouvimos falar sobre isso! Quem é esse sujeito? Será um ativista maluco? Um membro do Greenpeace? Um psicótico? Como pode questionar esse megaevento?" Enfim, a mente dos espectadores virou um trevo de indagações, e isso logo após o primeiro minuto da sua fala. Nesse momento, Mark Sagan, assombrado, o reconheceu. Ficou possuído de ódio. Bateu com os punhos nos braços da poltrona e balbuciou:

— Esse terrorista tem de morrer!

Como ninguém sabia direito o que estava acontecendo, o intruso continuou. Ele tocou no assunto que já havia debatido conosco. O Mestre não previa que reações as pessoas teriam; afinal de contas, estava estragando a festa delas. Só sabia que não conseguia deixar de falar.

— Somos a única espécie que pensa e usamos o instrumento do pensamento para dominar a superfície da Terra, os mares e a atmosfera. Mas não dominamos nossa mente, nem o território da emoção. Em um século, a humanidade teve mais sucesso do que em milhares de anos de história. Foi estrondoso, explosivo e incontrolável. Essa premiação é um sintoma desse megassucesso.

Mas ele veio muito rápido. Não tivemos tempo para absorvê-lo, planejá-lo, domesticá-lo. Faltaram-nos estratégias.

As palavras do Mestre começaram a aguçar o intelecto dos presentes. Uns diziam "Aonde ele quer chegar?"; outros, "O que ele quer dizer?"; e ainda outros, "Será que está condenando o sucesso? Será que é um profissional frustrado?". Nem mesmo eu sabia para onde caminhava seu raciocínio esquemático.

— Que temos nós com isso, seu... seu socialista de segunda! — bradou um espectador do mundo das finanças.

Sagan, enraivecido, gritou mais alto:

— Cale a boca, seu psicótico! Matem esse terrorista!

O Mestre fitou-o, depois elevou seus olhos para a plateia e sentenciou:

— Somos selvagens com uma bomba nas mãos!

Quando escutaram a palavra "terrorista" e, depois, da boca do próprio estranho a palavra "bomba", muitas pessoas começaram a entrar em pânico. Outras, mais ousadas, batiam os pés no chão para não ouvi-lo mais. Dois homens de terno impecável, que também estavam na primeira fileira, mas do lado oposto ao nosso, suavam frio, desesperados. Não paravam de falar ao telefone, parecia que davam ordens, quem sabe para assassiná-lo. Olhei de relance e congelei, pois um deles parecia o tipo estranho que vira próximo às escadarias do velho cinema.

Francesco estava transtornado. Queria proteger o Mestre, mas era impossível. Uma equipe de segurança com metralhadoras e cassetetes subira ao palco para conter, ou matar, o suposto terrorista.

Armas eram apontadas para ele enquanto os homens avançavam para o palco. A plateia, acostumada a frequentar cinema, parecia ter entrado em um filme de ação que exalava morte e sangue. Ao mesmo tempo, o apresentador, preocupado com o alvoroço e possível pisoteamento dos espectadores, gritava para as pessoas manterem a calma. O risco era iminente. Por seu microfone de lapela, Francesco ordenava aos seguranças que subiam ao palco:

— Não atirem! Não o agridam! Abaixem as armas! Eu o conheço.

O tumulto era tão grande que os homens apenas reduziram a marcha, mas continuaram com a arma apontada para ele e caminhando em sua direção. Com tranquilidade, como quem está em seu próprio quarto, o Semeador de Ideias tirou o velho paletó e a camisa branca rasgada e deixou claro a todos que não tinha bomba alguma amarrada ao seu corpo. Depois, abaixou as calças deixando todos verem sua velha cueca samba-canção. Virou de costas para a plateia e mostrou o generoso furo na lateral direita. A plateia, atônita, sorriu. Seu magro corpo confirmou que também não havia nada escondido debaixo da cueca. Todos respiraram aliviados. Não era um homem-bomba. Os seguranças pararam sua marcha e relaxaram. Depois, o Mestre começou a fazer exercícios de respiração como se estivesse num jardim e, em seguida, vestiu suas roupas.

Como uma onda no mar, os ânimos foram silenciados pouco a pouco. Por fim, todos se aquietaram e voltaram a se sentar, perguntando-se quem era aquele personagem. "Talvez fosse um comediante contratado pela organização para quebrar a rotina e animar a plateia", alguns pensaram. De fato, ele não era um homem-bomba, mas carregava um explosivo contra mentes estreitas e estéreis. Então, o Mestre o soltou, e suas palavras chocaram a imensa e famosíssima plateia.

— Quando construí este centro de convenções...

— O quê? Ele falou "construí"! Só pode ser piada.

Eu também pensei que ele estava brincando, mas o intrigante homem repetiu a primeira frase e se estendeu:

— Quando construí este centro de convenções, eu tinha um sonho. Sonhei que fosse usado para a confraternização entre as nações, os povos e as culturas. E o sonho cresceu. Juntamente com minha fundação e sob o patrocínio intelectual da ONU, elaboramos as edições dos melhores profissionais do ano da indústria do lazer. Numa terra com tantas dores, a alegria deveria ser homenageada.

As pessoas ficaram emudecidas. Perplexo, o apresentador disse, com voz embargada e em tom baixo, para a apresentadora:

— Quem construiu este local está morto. É o famoso Me...

Alguém aparentemente bem-comportado perdeu as estribeiras. Era Mark Sagan, que interrompeu aos gritos a fala do apresentador:

— Impostor! Fora! Fora!

Outro homem, bem trajado, libertou o fantasma da agressividade que estava adormecido em sua mente e berrou:

— Cale a boca, seu canalha! Vamos começar o evento!

Mas quase ninguém os acompanhou nas injúrias; ao contrário, ambos receberam uma reprovação. Muitos na plateia estavam entediados com a fama, queriam algo novo, excitante. E o maltrapilho presente no palco era uma fonte de estímulos, que rompiam os grilhões da rotina. O Mestre, direcionando seu olhar àqueles que queriam enxotá-lo, lhes disse:

— Como podem os convidados de honra querer expulsar quem os convidou? Vocês são meus convidados. Não foram tratados com gentileza? Por que querem me tirar da minha própria casa?

A plateia ficou embasbacada. Todos queriam saber sua identidade. Uns conversavam com os outros tentando decifrar suas palavras. Sagan ficou sem voz. Os homens estranhos que pareciam querer eliminá-lo não sabiam onde se esconder. Algumas pessoas começaram a pensar que o maltrapilho talvez fosse um doente mental que furara o esquema de segurança. Nesse momento, ele se revelou:

— Sim, sou Mellon Lincoln, o construtor do International Mellon Lincoln Center.

A plateia emudeceu completamente. Quase todos sabiam quem era Mellon Lincoln e a tragédia que vivera. A perda da família e seu isolamento foram alvo de inúmeros comentários na época, em toda a mídia. No portfólio de suas empresas havia jornais, rede de TV e participação em grandes estúdios de cinema. Inúmeras celebridades ali presentes, de alguma forma, trabalhavam para ele. Mas havia mais de três anos todos tinham lido notícias sobre sua morte. Mellon identificara-se porque sabia que algumas pessoas malévolas já haviam descoberto sua identidade. Para nos proteger e se proteger, cedo ou tarde, ele teria de se revelar. E planejou fazê-lo publicamente, em sua própria "casa". E o fez tecendo críticas, semeando suas ideias.

O contraste no ML Center era quase surreal. Os convidados vestiam-se luxuosamente, e o proprietário, como indigente. Muitos amavam a fama; ele, a essência. Muitos acreditavam que o sucesso era eterno; ele tinha convicção de que era efêmero, e com sérios riscos. Em seguida, Mellon comentou:

— Ao desenhar o projeto para premiar os melhores profissionais do ano, eu queria gerar no inconsciente coletivo das mais diversas nações o desejo pela excelência, para que isso pudesse contribuir para expandir o Produto Interno Bruto. Mas me enganei. Usar apenas o PIB, que representa o somatório de produtos e serviços produzidos num país, como índice de desenvolvimento de uma sociedade, é uma armadilha perigosa. Pois, para que a sociedade se desenvolva, o PIB tem de crescer continuamente, e, para isso, também o consumo tem de crescer freneticamente. Uma pequena queda do PIB leva uma nação a entrar em crise. Qual é o limite? Onde vamos parar? O que nos espera no final do túnel?

Ele fez uma pausa e, em seguida, comentou:

— Como líder internacional, não entendia que o PIB não mede o PHB, que é o Produto Humano Bruto, o índice de altruísmo, solidariedade, autoestima, autorrealização, socialização, tolerância racial, tampouco a sustentabilidade do desenvolvimento. Há sociedades ricas, mas com baixo PHB, em plena decadência se considerados outros parâmetros. Como disse, eu queria premiar a alegria nessa portentosa festa, mas também precisamos homenagear nossas lágrimas. Temos motivos para chorar.

Nesse momento, o Mestre olhou para o teto, viu a beleza da abóbada, observou os lustres e arranjos florais e descreveu alguns dos motivos para chorar:

— 99,999% das pessoas jamais ganharão esta ou outras premiações. Inúmeras delas têm alto índice de solidariedade e generosidade, cuidam de idosos em asilos pobres, educam crianças em escolas humildes, protegem enfermos em hospitais sem recursos. Certamente, são muito melhores do que eu e talvez do que alguns de vocês. Deveriam ser premiadas, exaltadas em prosa e verso, mas vivem em completo anonimato, pois não valorizamos o PHB.

Depois de respirar profundamente, ele falou de uma dívida que todos os famosos possuíam:

— Nós, que temos visibilidade social, respeitabilidade e ganhos salariais muito acima da média, somos devedores desses anônimos. Não quero culpá-los, senhoras e senhores, mas publicamente quero reconhecer minha culpa. Confesso que alimentei o sistema social que hoje fortemente ataco. E precisei me tornar um incógnito andarilho para entender isso. Descobri que uma pessoa verdadeiramente grande tem de se abaixar para exaltar os pequenos, para torná-los grandes nesta sociedade exclusivista, portadora de um superficial verniz democrático. Alguns setores da imprensa prestam um desserviço à humanidade ao promover o culto à celebridade, seja de forma direta ou subliminar. Não poucos críticos de artes plásticas, cinema, TV, literatura têm obsessão por comentar positiva ou negativamente os profissionais que de alguma forma estão em evidência. Esquecem o espetáculo produzido pelos anônimos. Estão todos viciados no brilhantismo social.

Não se ouvia um ruído na plateia. Suas palavras tocaram as raízes da psique dos ouvintes. E, contemplando os espectadores atentamente, proferiu suas últimas palavras:

— A sociedade está enferma, e um dos sintomas dessa enfermidade é que ela raramente premia quem mais precisa... Quem somos? Somos todos meninos que entram eufóricos no teatro do tempo e que silenciam no palco de um túmulo sem saber quase nada dos mistérios que cercam a existência!

O Mestre terminou sua fala, deu um suspiro aliviado e saiu passo a passo. A plateia de celebridades se levantou em peso e ovacionou calorosa e continuamente Mellon Lincoln. Muitos choravam de emoção. Afinal, aquele era um homem que perdera muito, sofrera intensamente, mas conseguira transformar seu caos em nobres conquistas

Os dois homens sentados na outra ponta da primeira fila pareciam estar em colapso cardíaco à medida que ouviam o maltrapilho falar. Saíram ansiosa e apressadamente. Enquanto isso, Sagan não conseguia se levantar. Estava taquicárdico, ofegante, suando frio, a ponto de desmaiar. Precisou ser abanado. Parecia uma criança diante de uma cena de terror. Passava obsessivamente as mãos na testa e dizia para si:

— Meu Deus, não é possível! Vão pedir minha cabeça! Xinguei, achincalhei e chamei de terrorista o maior acionista da You&Game!

CAPÍTULO 12

A democracia da emoção

Mellon Lincoln não conseguiu sair do anfiteatro com facilidade. Havia tantas pessoas que queriam tocá-lo e abraçá-lo que andava um metro por minuto. O evento, que começava britanicamente na hora marcada, atrasou duas horas. Os "melhores do ano" receberam o prêmio, mas dessa vez não se repetiu o magnetismo das edições passadas. O Semeador de Ideias furtara o brilho dos premiados. As câmeras de TV registravam cada uma das suas reações, e ele voltou a ser um fenômeno mundial. Máquinas fotográficas o clicavam ininterruptamente, incomodando-o. Comecei a perceber que ser uma celebridade tem muito mais perdas que ganhos.

No dia seguinte, o evento ganhou a manchete dos principais jornais do mundo, algumas absurdas: "Para entender as classes consumidoras de baixa renda, Mellon Lincoln tornou-se um maltrapilho"; "O grande Mellon Lincoln vive com um bando de malucos"; "Um dos homens mais ricos e poderosos do planeta enlouqueceu?".

Mais uma vez as reportagens não abordaram suas ideias. Falaram mais da sua condição social do que da sua preocupação com a humanidade, mais do assombro das celebridades do que da sua tese sobre o Produto Humano Bruto. Mas houve exceções. Alguns jornais deram destaque às suas teses de que o sucesso rápido e não planejado das sociedades modernas tornava-se uma bomba que precisava ser desarmada.

Após o evento, Mellon Lincoln, meu querido Mestre, não teria mais tranquilidade social. Não passearia pelo centro da cidade sem ser notado, clicado, observado. Teria dificuldade de se sentar folgadamente no saguão dos *shoppings*, nas escadarias dos anfiteatros, nos bancos das praças e realizar seus prazerosos debates.

Alguns jornalistas o procuraram, suplicando:

— Por favor, senhor Mellon, poderia nos dar uma exclusiva?

Outros imploravam:

— O mundo quer ouvir o que senhor tem para dizer.

Mas ele respondia:

— Desculpem-me, mas sou um simples mortal. Não mereço atenção especial. Entrevistem os miseráveis da sociedade. Eles têm muito a dizer. — Pedia licença e saía. As câmeras fotográficas e de TVs o seguiam.

O Prefeito e Bartolomeu levantavam as mãos, dizendo que estavam dispostos a dar entrevistas. Mas ninguém queria ouvi-los. Eu abaixava as suas mãos e lhes pedia que fossem discretos. O Mestre procurava se disfarçar, queria ter sua privacidade de volta. Tinha sede e fome de continuar debatendo, pensando, imergindo na arena do conhecimento. Sentia que precisava falar para nós pensamentos que jamais expressara. Eu, com um calhamaço de papel à mão, ia anotando suas ideias e reações. O que era impossível anotar na hora, fazia-o antes de dormir.

Nos primeiros dias, as técnicas de disfarce utilizadas por ele funcionaram. Usou um corte de cabelo diferente, um chapéu que encobria parte do rosto e aceitou trocar o velho *blazer* por um casaco alinhado. Nós também tentávamos nos dissimular. Mas logo nos descobriam, o que nos forçou a percorrer outros bairros e a dormir debaixo de outros viadutos. O que me deixava inquieto era que o "rei" revelara sua identidade, mas não assumira seu trono. Não disse nada sobre retornar ao seio de suas empresas. Eu não entendia que segredos ele ainda guardava.

Sabia que logo após o acidente aéreo que eliminou sua família, numa área de floresta entre Venezuela, Colômbia e Brasil, ele se isolara das suas empresas e fora para uma casa de veraneio. Após sair da clausura particular, poderia ter ido morar clandestinamente num pequeno país, numa vila perdida no tempo. Ninguém o acharia. No entanto, preferiu permanecer nos EUA, na cidade onde se tornara célebre. Tinha consciência, porém, de que estava se tornando insustentável ficar na grande metrópole.

Cinco dias depois, fomos para a periferia, no lado norte, próximo a um lago azul, mas malconservado. Eram seis horas da manhã. Na ocasião, além dos onze discípulos, havia quarenta e dois seguidores eventuais. Como sempre, o Mestre não marcou o local nem o horário onde estaria. Os que estavam presentes despertaram com os pássaros e o procuraram antes de os primeiros raios de sol pontilharem o céu. Todos estavam emudecidos com os últimos acontecimentos.

Dessa vez ele não falou nada, apenas tentava respirar mais profundamente para meditar. Quebrei o gelo e iniciei o debate por um tema de meu interesse.

— Há alguns dias, você falou do Produto Humano Bruto e, há quinze, comentou sobre a democracia da emoção. Juntar esses temas me inquietou. Em sociologia, falamos sobre distribuição de renda e mobilidade social. Todas as sociedades são injustas e imperfeitas, mas, entre as mais justas, a distribuição de renda e a mobilidade na pirâmide social são mais intensas. Mas quem não tem recursos é privado do acesso aos bens de consumo, inclusive à emoção. Não vejo nessa sociedade saturada de hierarquias a democracia da emoção. Os miseráveis sempre terão menos acesso à indústria do entretenimento e, portanto, em tese, menos prazer.

Alguns amigos ficaram confusos com o meu pensamento. O Mestre raramente usava palavras para nos chamar a atenção. Para ele, o silêncio gritava mais alto. E, naquele momento, ele ficou calado. Subitamente, olhou para um pombo que cortejava uma fêmea nos galhos de uma acácia-da-china, a dez metros de nós. Depois, percorreu com o olhar a anatomia das nuvens de cores cinza e azul que se juntavam e se separavam na atmosfera.

Em seguida, observou atentamente uma margarida amarela que estava do seu lado direito, a não mais que um metro. Parecia ter sido possuído por ela. Posteriormente, observou o jovem Salomão, batendo na testa suavemente devido aos seus comportamentos compulsivos, e tocou-lhe o ombro. Sorriu para a mais idosa discípula, a professora Jurema. Só depois de alguns minutos voltou-se para mim e me respondeu:

— A democracia, como vocês sabem, é, ou deveria ser, o governo do povo por meio de seus representantes, embora muitos usem-na como manto para encobrir seu autoritarismo. A democracia da emoção é mais ampla e mais justa do que a política. É o governo da emoção. Esse governo aproxima orientais e ocidentais, livres e prisioneiros, abastados e paupérrimos, habitantes das cidades e povos indígenas.

— Desculpe-me, mas discordo do seu pensamento! — disse num tom firme uma pessoa que estava entre nós pela primeira vez. E completou: — Como bem falou o sujeito há pouco — e apontou para mim —, quem tem dinheiro tem mais acesso a viagens, hotéis, restaurantes, *shows*, carros de luxo e até a medicamentos tranquilizantes e antidepressivos. O prazer tornou-se um produto de luxo, ao qual os pobres têm pouco acesso. Não há democracia da emoção.

Ele agradeceu a intervenção. Imediatamente, a professora Jurema, especialista em educação, colocou mais combustível no debate.

— Mestre, como a democracia da emoção promove a aproximação entre os homens, se somos cultural, genética e geograficamente distintos?

Nossos debates eram sempre borbulhantes. Mais uma vez me pego pensando se não era desse modo que o conhecimento era produzido em praça pública nos áureos tempos da Grécia. Mentes comuns tornavam-se mentes pensantes. Mentes que só se preocupavam com o balido das ovelhas e o mugido do gado passavam a se preocupar com o mundo das ideias. Deslumbravam-se com esse novo mundo. E me entristecia ao recordar que, nas salas de aula das escolas clássicas, os alunos tornavam-se uma plateia passiva e entediada.

Para o Mestre, a dúvida era a agulha, e a discordância, a linha que tecia os pensamentos. Ele sempre nos incentivou a nos rebelar contra a submissão passiva. Participar do debate era tão valorizado por ele que nenhuma resposta era suficientemente tola que não pudesse ser expressa.

Ao ser confrontado, não respondeu de imediato. Devolveu, como sempre fazia, a pergunta para os demais discípulos, estimulou-nos a entrar na cozinha do conhecimento e elaborar nossos próprios pratos. O Prefeito tomou a palavra e tentou defender o Mestre. Mas sempre o metia em mais confusão.

— Vejam bem, meus queridos amigos. A bebida alcoólica é barata, pelo menos as bravas. Por isso os alcoólatras são democráticos. Todos enchem a cara — e apontou para Bartolomeu, que, inspirado, respondeu:

— E, quando alcoolizados, não fazemos diferença: branco, negro, chinês, europeu, rico, pobre. Fica tudo igual.

— Olhe a verborragia — advertiu Mônica.

Com esses dois sempre saíamos do céu para a terra, mas eles colocavam uma pitada de humor nos debates, e acabava dando um bom tempero. Estávamos exercendo a democracia da emoção sem saber. O Mestre sorriu e comentou:

— Obrigado pela participação de vocês, Barnabé e Bartolomeu. Suas observações ajudam a explicar por que há tantos alcoólatras no mundo e por que eles são tão unidos, bem como por que igualmente se destroem e democratizam o acesso às lágrimas dos que os amam — brincou o Mestre. Foi como dar-lhes um tapa com luva de pelica.

Em seguida, o Semeador de Ideias expressou os fundamentos da democracia da emoção. E começamos a entender o que ele queria dizer.

— A democracia da emoção não reconhece a cor do dinheiro, os degraus do *status*, o *glamour* da imagem social. Debocha do regime de classes sociais, desdenha da hierarquia intelectual. Ela é levada a cabo pelo olhar contemplativo, por aqueles que aprendem a fazer uma caminhada de pequenos passos.

E deu-nos um exemplo. Pediu para imaginarmos uma pessoa de classe social "baixa" reunindo recursos para comprar, por dois mil dólares, um velho carro, de vinte anos de uso, com a pintura desbotada, lataria amassada e motor precisando de reparos. Seria seu primeiro veículo. E pediu também para imaginarmos um milionário comprando o mais luxuoso dos carros 0km por um milhão de dólares. O décimo carro que ficaria estacionado em sua garagem.

Nesse momento, olhei para trás e vi um homem estranho, que aparentemente desejava se ocultar. Usava chapéu marrom e paletó com gola alta estendida. Estava a dez metros do Mestre e parecia muito incomodado com o que ouvia. Em seguida, o maltrapilho perguntou à plateia:

— Quem provavelmente experimentará mais alegria, o de classe baixa ou o de classe altíssima?

Muitos responderam quase a uma voz:

— Provavelmente, o proprietário de classe baixa.

Em seguida, fez o segundo questionamento:

— Muito bem. Tomando como base essa experiência, quem é de classe alta para a emoção é o pobre. O rico é o de classe baixa. Os papéis, portanto, se inverteram.

Começamos a entender aonde ele queria chegar.

— Essa é a democracia da emoção. Não se refere aos produtos e serviços a que os abastados têm acesso, mas à capacidade de experimentar o prazer com os estímulos da rotina diária, que são comuns a todas as classes sociais, como os abraços, os beijos, os diálogos, a imagem de uma flor. O abraço de um pai paupérrimo em seu filho pode gerar uma sobrecarga de afetividade menor, igual ou maior do que o abraço de um executivo superbem pago em seu filho. Depende de como ele se entrega, se doa, se encanta com esse filho. Quem se psicoadapta a esses estímulos empobrece seu olhar contemplativo.

Disse-nos que os artistas produzem esculturas, mas, às vezes, quem mais se fascina diante das suas obras são os que nunca pegaram em instrumentos para lapidar a madeira e o mármore. Os poetas produzem suas poesias, mas os leitores, ao interpretá-las e internalizá-las, podem viajar tanto ou mais nelas do que os próprios poetas. Na realidade, ao ler um livro, os leitores alçam voos particulares, produzem suas próprias obras literárias.

Ele ainda comentou que a democracia da emoção inaugurou uma nova classe de milionários e outra de miseráveis. O prazer não estava na quantidade de dinheiro que se possuía, mas na arte de interpretação de um ser humano diante de um objeto. Quem tinha dez casas não vivia dez vezes mais confortavelmente do que quem tinha uma única e simples casa. Se a emoção fizesse contabilidade, se seguisse as regras da matemática, os que nasceram nobres e os ricos seriam incomparavelmente mais felizes, satisfeitos, relaxados que os "humildes", mas essa contabilidade não tem eco no psiquismo humano. E nos relembrou de suas palavras proferidas havia algumas semanas: alguns têm a mesa farta, mas mendigam o pão da alegria; outros dormem em cama de ouro, mas não conseguem alcançar o descanso. Tais pessoas, às vezes, são de sublime ética, mas vivem de migalhas.

Ficamos viajando em suas ideias. Mônica estava particularmente pensativa. Em seguida, ela explicou:

— Quando pré-adolescente, eu era livre, leve, solta. À medida que comecei a ser fotografada pelos profissionais mais badalados do planeta e saí na capa das revistas de moda mais importantes, fui perdendo a espontaneidade e a singeleza da existência. As fotos eram retocadas por programas de computador, não podíamos ter defeitos, ser naturais, ser nós mesmas. Quanto mais era cortejada, mais infeliz, obsessiva e escrava da aparência me tornava. Gastava duas horas por dia diante do espelho. Paranoica, observava as pessoas para ver se estavam reparando nos defeitos que eu inventava. Deprimi-me e me puni muitíssimo. Num momento, amava os alimentos; noutro, ao acabar de comer, odiava-os e vomitava. Essa foi uma das grandes causas da minha bulimia.

A professora Jurema, embora surrada pelos anos, sabia, como renomada psicopedagoga, que a emoção era fundamental no processo de aprendizagem. Aparentemente, ela começou a discorrer sobre um assunto fora de contexto, mas não tardou a nos impactar.

— O papel dos grandes predadores, como leões e leopardos, depende da infância que tiveram. A emoção borbulhante dos filhotes, expressa pelas brincadeiras, cria vínculos com sua mãe e irmãos e facilita o processo de aprendizagem, complementando os traços geneticamente determinados. Esse processo os prepara para a árdua e diária luta pela sobrevivência. Se nos felinos, nos quais a carga genética grita em voz alta, é marcante o papel da emoção na formação de um adulto preparado, muito mais o é no *Homo sapiens*.

O Mestre entrou em cena e agradeceu a Jurema a colocação:

— A infância de uma criança é um direito inalienável, invendável, intransferível. O estoque de alegria, flexibilidade, ousadia, inventividade, sensibilidade, resistência a contrariedades de um adulto está diretamente ligado à qualidade de sua infância. Mas o sistema social é um ladrão voraz da infância, tem plantado o consumismo nas crianças e as entulhado com mil e uma atividades. Onde estão as crianças que têm tempo para brincar, inventar, cair e se levantar?

Em seguida, fez mais uma confissão:

— Sempre tive faro para comprar empresas embrionárias e transformá-las em gigantes, entre elas a You&Game. Quando tomei conhecimento de que uma série de jogos da empresa estava seduzindo as crianças, inibindo o interesse pelo trivial, dei ordens expressas para mudarem o conteúdo pedagógico. Recebi o seguinte recado da diretoria: "Perderemos centenas de milhões de dólares", e respondi: "Que percamos!". Quinze dias depois, fiquei sem minha família. Quem furta a infância das crianças tem uma dívida impagável com o futuro delas e da humanidade...

Observando toda a cena a certa distância, Sagan começou a suar frio. Não acreditava no que estava ouvindo. Em estado de choque, queria dar murros no ar e protestar. Mas, covarde, continuou calado e escondido da vista da maioria.

CAPÍTULO 13

Revelando os bastidores

Nossa mente é como uma casa mal-assombrada. Raramente temos a ousadia de nela entrar para reconhecer nossos fantasmas, enfrentá-los, criticá-los e repensá-los. Eu preferia negá-los, não sabia que fantasmas encobertos são indomáveis. Podemos mudar de cidade ou país, porém sempre os levamos conosco. Há períodos em que parecem sepultados, mas estão apenas hibernando. Obsessões, fobias, timidez, pessimismo, egocentrismo, hipersensibilidade, necessidade doentia de poder, estrelismo social, humor depressivo, autopunição, dificuldade de relaxar são alguns dos transtornos dos adultos que tiveram a infância sequestrada.

Sagan não tivera tempo para curtir sua meninice. Filho de faxineiros, foi humilhado na escola, excluído pelos colegas, discriminado pelas garotas. Teve de trabalhar duro, desde os doze anos, para tentar sobreviver. Cresceu, enriqueceu muito, brilhou no mundo digital, mas não eliminou o terror psíquico. Tentava sepultar seus conflitos desfilando em carrões, trocando de mulheres como se troca de roupa, comprando espaços nas colunas sociais para estar em evidência. Não perdia a oportunidade de usar relógios de ouro maciço. Nenhuma das canetas que usava custava menos de dez mil dólares. Mimava seus monstros, sem saber que o comiam vivo.

Viver com o círculo de amigos que seguiam o Semeador de Ideias era um aprendizado diário para mim. Sempre tive uma necessidade doentia de mudar as pessoas. Perdia a paciência com alunos e professores. Detestava respostas superficiais para problemas complexos. Mas perdi o *status* de chefe de departamento. Não era chefe de nada, apenas um simples seguidor. Mesmo assim, reagia como chefe. Não sabia me soltar. Observando minha tensão, o Mestre me ensinou:

— A energia gasta para mudar os outros é muitíssimo maior do que para tolerá-los do jeito que são. Ninguém muda ninguém. Só as próprias pessoas podem se mudar. Relaxe, homem!

O Prefeito, que sempre me perturbava, dessa vez tentou contribuir comigo.

— Minha infância teve tapas, chineladas e chicotadas. Faltaram os beijos, os abraços, os apoios. Chamaram-me de aberração da natureza, de aborto enrustido, de desgraça da humanidade. Mas sobrevivi. Solte-se, cara.

Bartolomeu advertiu o Prefeito:

— Sobreviveu, mas precisa de cultura. Faça como eu, tenho *Hamlet* na cabeça. — E tinha mesmo. Embora fosse um jovem alcoólatra, gostava de ler.

— E eu, no estômago. Adoro hamlet com queijo e tomate — afirmou o Prefeito com a voz empostada. Valia qualquer coisa para não perder um embate.

— *Hamlet* não é omelete, Prefeito. É um livro. É a obra-prima de William Shakespeare — eu disse, tentando corrigi-lo, apesar de ser uma tarefa quase impossível.

Em vez de reconhecer seu erro, o esperto saiu pela tangente:

— Bem sei, meu amigo. Usei queijo e tomate para simbolizar que não leio livros, como-os para nutrirem meu grande cérebro. Não entende a linguagem dos símbolos, digníssimo sociólogo?

Cocei a cabeça e sorri. Deixei meu impulso de professor de lado, resolvi aceitá-lo do jeito que era. Observando meu silêncio, o Prefeito falou bombasticamente de si mesmo. Não sabia se queria me testar:

— Júlio César, eu amava as provas escolares. Só tirava nota dez.

— Nota dez? Mentira! — contrapôs Bartolomeu.

O Prefeito não se intimidou e, mais uma vez, emendou com aspereza:

— Sim, eu tirava nota dez. O problema é que as provas valiam cem.

Bartolomeu também tentou mostrar seus valores.

— Eu fui uma criança super-rápida. Venci a maratona das escolas.

Era tudo o que o Prefeito queria, soltar o fantasma da competição. Amava um desafio, principalmente vindo de seu melhor amigo. Abriu os braços e proclamou altissonante:

— Pois eu, meus distintos ouvintes, fui o cara mais rápido do mundo. Venci milhões de concorrentes...

— Impossível! — desafiou-o Bartolomeu. Mas o Prefeito não lhe deu bola. Fez uma pausa e disse, suave e romanticamente:

— E fiz mais. Escalei montanhas, nadei mares e atravessei desertos só para conquistar minha namorada!

Perdi a paciência. Tentei desmascará-lo. Afinal de contas, estávamos aprendendo a ser transparentes com o Mestre. Podíamos dissimular comportamentos, mas mentir descaradamente era inaceitável.

— Quando você fez isso, Prefeito?

— Quando? Quando era o mais esperto espermatozoide do mundo. Vejam o resultado — e passou as mãos pelo corpanzil. O falastrão se achava lindo.

A turma não se aguentou e começou a aplaudi-lo. Bartolomeu e eu perdemos de lavada. O Mestre tentou nos consolar:

— Vocês também foram espermatozoides valentes.

Apenas Sagan, que permanecia oculto, mas acompanhava atento a discussão, não conseguiu relaxar. Era amargo, mal-humorado, arrogante. Disse para si: "Como pode o grande Mellon Lincoln ter no rol de amigos essa gentalha?".

Bartolomeu e o Prefeito dormiam, na infância, com o corpo faminto de alimentos e o cérebro ávido de proteção. Perambulavam de orfanato em orfanato como errantes em terra estranha. A sociedade os vomitara. Mas, apesar de todos os traumas que carregavam, eram os mais alegres do grupo. A democracia da emoção foi generosa com eles.

De repente, veio em nossa direção uma senhora bem idosa, que mal conseguia andar. Um braço era apoiado por uma bengala e o outro por outra mulher de meia-idade. Dois policiais as acompanhavam.

— *¿Dónde están los muchachos?* — perguntou a senhora para a mulher que a acompanhava. Esta lhe respondeu:

— Precisamos perguntar, dona Mercedes.

— *Espere un poquito. Si yo los veo, los reconozco.*

A senhora idosa passou os olhos em vários de nós, mas nada. De repente, parou na frente de Bartolomeu e do Prefeito. Olhou de cima a baixo. Farejou-os como um perdigueiro e deu uma cusparada no chão pelo odor fétido dos dois. E os identificou:

— *Me parece que son estos muchachos.*

Pensei comigo: "Bartolomeu e o Prefeito assaltaram a velhinha e serão presos. Que vexame!". Antes de a velhinha falar qualquer outra coisa, o Prefeito negou:

— Não sou eu não, dona... dona Mercedes. Foi ele — e apontou para Bartolomeu, sem titubear.

— Nem pensar, madame. Foi ele.

Ninguém entendeu nada. A mulher de meia-idade, em seguida, perguntou:

— Seus nomes são senhor Bartolomeu e senhor Barnabé?

Constrangidos, os dois afirmaram com a cabeça. A velhinha entrou em êxtase:

— *¡Mis queridos! ¡Mis queridos! Soy la abuela* — e pegou um de cada lado pelo pescoço e começou a beijá-los. Beijou o olho, a testa, o rosto. Ambos tentavam escapar, mas, quanto mais tentavam, mais ela babava sobre eles. Bartolomeu usou a sua famosa expressão latina:

— *¿Qué pasa, abuela?*

Nesse momento, para espanto geral, a mulher que acompanhava a senhora idosa explicou:

— Sou assistente social da prefeitura local. E essa senhora, dona Mercedes, que mora na Colômbia, há alguns anos procura ansiosamente por seus dois netos, filhos de sua filha, que faleceu há mais de vinte anos.

Antes de a mulher continuar as explicações, Bartolomeu interrompeu:

— O quê? Impossível! Informação errada. Não sou irmão desse político de quinta categoria. Ele é um grande amigo, dona, mas chamá-lo de meu irmão é um xingamento.

— Dona Mercedes! Desperte seu cérebro adormecido — disse o Prefeito com segurança. — Veja que entre nós dois há enormes diferenças. Eu sou fofo, ele magricela. Sou intelectual, ele... — fez um sinal com as mãos — mediano.

Mas a assistente social comentou que há um bom tempo vinha investigando a história dos dois. Disse que a mãe de ambos era uma imigrante colombiana. Citou o nome dela, a rua onde moravam, sua morte causada por um câncer, os orfanatos em que viveram. Eles foram ficando vermelhos. Bartolomeu convivera alguns anos com sua mãe e a amava intensamente. Mas passou a ter raiva dela quando o deixou. Só mais tarde ficou sabendo que ela o abandonara porque estava em estágio terminal, com muitas dores.

Pobre, imigrante, sem marido, sem família, sem seguro médico nem proteção social, estava marcada para morrer. Não tinha condições de cuidar dele. Bartolomeu se lembrava de um irmão mais novo, mas tivera poucos meses de contato com o bebê. A mãe o deixara na porta de uma família, meses antes de o largar em frente a um orfanato. Anos depois, os dois se encontraram nas ruas e se tornaram amigos.

De repente, o Prefeito começou a ver em si traços semelhantes aos de Bartolomeu: as sobrancelhas, a cor do cabelo, os vincos da face. Subitamente começou a saltar como um pequeno cachorrinho superalegre, gritando:

— Eu tive mãe! Eu tive mãe! Eu tive família! Obrigado, meu Deus!

Choramos ao ver sua alegria. Claro que tivera mãe, ele sabia disso. Mas o buraco emocional era tão grande que vivia como se tivesse nascido de "um ser não existente", e não de uma mulher. Havia um vazio inextinguível em sua mente, uma falta de identidade que foi compensada destrutivamente no alcoolismo, na trajetória de menino de rua, sem passado, sem projeto de vida, sem nada.

Estava tão radiante que pegou a vovozinha no colo e começou a beijá-la ininterruptamente e sem vergonha da plateia.

— *¡Mi abuela! ¡Mi abuela!* Veja como ela é linda!

A senhora tentava se esquivar, mas era impossível. Ela era tudo o que lhe restava dos laços genéticos. Colocou-a sobre seus ombros e começou a pular. Bartolomeu também entrou num estado de sublime alegria. O Prefeito jogou a vovó nos braços de Bartolomeu, que, fisicamente mais frágil, fez alguns malabarismos e quase caiu com ela.

— Bartolomeu, Boquinha! Você é um privilegiado, *hombre de Dios*! Você é meu *hermano*.

— Você é *mucho más*! Eles se abraçaram, brincaram, dançaram, cantaram como adolescentes junto com a avó. Queriam parar o mundo e viver aqueles momentos. Ficamos comovidos.

Lembrei-me do meu pai, quando tirou a própria vida. Também minha infância foi furtada. Depois que comecei a andar nesse grupo, entendi que meu pai queria matar a dor, e não a vida. Perdoei-o. Olhei para Sagan, que parecia indiferente. Ele acreditava que era um pai perfeito, que tinha um filho perfeito. A cena que presenciara soava-lhe uma peça teatral completamente distante da sua realidade.

Dez minutos depois, a festa acabou. Dona Mercedes fez a pergunta que não queria calar. A pergunta proibitiva, constrangedora. Olhou para seus queridos netos arruaceiros, para suas vestes amassadas, remendadas. Caiu em si e perguntou, de maneira firme:

— *¿De qué vivis, mis amores?*

Percebemos que o caldo ia azedar. O Prefeito coçou a cabeça, olhou assustado para Bartolomeu e respondeu:

— Eu ajudo meu irmão.

Bartolomeu não gostou. Logo no primeiro minuto seu irmão o colocava numa fria. Pensativo, tentou evitar outras bengaladas e respondeu com astúcia:

— Somos assessores daquele milionário.

A vovó, embora emocionada, era uma fera, uma verdadeira matriarca. No passado, fora adepta das Farc, as Forças Armadas Revolucionárias da Colômbia, fora guerrilheira, mas se desiludira, arrependera-se e se introduzira na sociedade. Trabalhara muitos anos para o governo colombiano, procurando localizar os sequestrados pelas Farc. Forte, determinada, ninguém a passava para trás. De relance, olhou para o Mestre, deu uma cheirada em seu "velho e surrado guarda-roupa". Não gostou. Levantou sua calça, viu um pé com uma meia preta e outra marrom. Espantou-se. Observou a camiseta com um furo no tórax do lado esquerdo. Entrou em crise. Depois do seu diagnóstico, perguntou altissonante:

— Milionário?

Olhou nos olhos dele e lhe perguntou.

— *Hombre, ¿cuál es tu profesión?*

Tentando ganhar a moral da vovó, o Prefeito se adiantou e aumentou a confusão:

— Ele é um Semeador de Ideias, um vendedor de sonhos e de outras *cositas más*!

Dona Mercedes cortou sua resposta. Pegou os dois pelo colarinho e perguntou na cara deles:

— *¿Ideas? ¿Sueños? En Colombia hay muchos traficantes que venden estas cosas.*

O circo começou a pegar fogo. Bartolomeu tentou explicar:

— *No, no*, vovó. Ele é... — mas era impossível explicar o inexplicável.

Sabendo disso, o próprio Mestre a chamou à parte, e tiveram uma longa conversa. Todos nós estávamos apreensivos com o resultado. Após ouvir sua história, dona Mercedes, por incrível que pareça, lhe deu um abraço afetuoso. Acreditou nele. Depois de lhe perguntar o dia e ano do acidente, ela, para seu espanto, disse que sabia da tragédia. Comentou sobre o local do ocorrido, uma região dominada pelas Farc, praticamente inacessível até para as forças americanas. Na época, correram boatos de que havia sobreviventes, mas não se confirmaram. Ela o confortou e o abraçou novamente. Os olhos do Mestre lacrimejaram. Depois disso, dona Mercedes voltou ao seu país feliz, esperando que um dia seus netos a visitassem.

Logo após a despedida, o celular de Sagan tocou no *vibracall*. Discretamente, ele olhou o número, mas desconhecia a origem. Não atendeu. Outra chamada. Desligou novamente. A pessoa do outro lado da linha insistiu. Ia desligar o celular, mas sentiu-se impelido a atender, algo incomum para um homem obsessivamente seletivo. Afastou-se um pouco e disse:

— Fale! Sou eu mesmo! — expressou num tom arrogante.

A pessoa, com a voz embargada, pediu para que ele comparecesse com urgência à escola de seu filho.

— Não tenho tempo para eventos escolares. Envie o convite para meu escritório. Estou ocupado agora.

Vendo a resistência de Sagan, a pessoa, em estado de pânico do outro lado da linha, começou a contar-lhe algo gravíssimo. Ele interrompeu o interlocutor, perdendo a cor, mas não a pose:

— Pare de brincadeira! Vou processá-lo por invasão de privacidade. Quem é o senhor?

A pessoa se identificou. Era o diretor da escola de seu filho. Tentando manter a calma, Sagan deixou o diretor falar e reagiu:

— O quê? O que está me dizendo? É impossível que meu filho tenha feito isso! É um absurdo! — respondeu ele desesperadamente. O diretor insistiu no relato, e ele continuou relutando em aceitá-lo. E gritou: — Não! Não é possível! Que loucura é essa? Não pode ser ele! Ele é um bom garoto! — O homem acostumado a disfarçar suas intenções começou a derramar lágrimas.

Todas as atenções se voltaram para o estranho que se infiltrara no ninho do Mestre. Chegou a vez de esse bilionário cair do pináculo da glória para os patamares mais baixos da miserabilidade humana. Estava atônito, com a alma despedaçada, soterrada por uma notícia que insistia em não crer. Seu filho, um adolescente, tornara-se o protagonista do terror em sua escola.

CAPÍTULO 14

O crime do filho de Mark Sagan

Sagan não tinha escrúpulo em usar mensagens eróticas subliminares, fosse no *marketing* ou nos jogos de *videogame*, para que os jovens entrassem de cabeça no consumo dos produtos de sua empresa. Quando uma modelo, em cena erótica, era estampada na caixa de jogos ou os anunciava num comercial de TV, os consumidores fotografavam em seu córtex cerebral tanto o produto, a caixa de jogos, como a modelo anunciante, gerando assim um desejo erótico inconsciente pelo produto. Além disso, nas tramas dos próprios jogos, guerreiros e guerreiras misturavam sangue com sexo. As mensagens subliminares, que tinham sido proibidas no passado, ganharam novas roupagens na modernidade, contaminando a capacidade de escolha do consumidor, em especial da juventude.

Quem nunca se preocupou com o ninho educacional dos outros dificilmente cuidaria do seu próprio. Sagan tinha um filho, Alex Sagan, de quatorze anos. O executivo antecipou-se ao último lançamento da You&Game, tirou uma caixa do primeiro lote e o presenteou pomposamente. Recomendou superficialmente que não exagerasse no uso e disse que verificaria o boletim escolar. O menino ficou nas nuvens. Desdenhando orgulhosamente dos seus colegas, proclamava, para a inveja deles, que era o primeiro a jogá-lo.

O brilhante executivo era um dos homens que mais entendiam de programas de computador do mundo, mas um leigo em relação ao funcionamento da mente humana. Desconhecia que uma criança fotografava mentalmente, mais de dez mil vezes por dia, imagens do meio ambiente, incluindo todos os gestos e reações dos pais. Não sabia, portanto, que o poder da imagem era superior ao das palavras, algo de que o Mestre sempre nos advertia. Ele se preocupava com o que falar ao filho, mas não com aquilo que devia expressar. Impunha-lhe regras, diretrizes, tratava-o como um computador a ser operado.

As palavras de Sagan direcionavam a formação da personalidade de seu filho para o norte, e seus gestos, para o sul. Queria que ele fosse tranquilo, mas o garoto via a ansiedade alucinante do pai e entrava no mesmo ritmo. Sagan falava para Alex aprender a pedir, e não exigir, porém o menino observava seu pai comportando-se como um deus autoritário, sempre exigindo o que queria, e na hora. "Seja honesto", dizia o pai, mas, às vezes, quando o filho atendia o telefone, Sagan o mandava dizer que não estava em casa. As imagens de Sagan traíam suas palavras e atiravam seu filho num calabouço. A sala de estar de sua mansão media duzentos e cinquenta metros quadrados. No entanto, entre pai e filho havia mais do que alguns metros físicos a separá-los, havia um espaço psíquico "intransponível". A esse respeito, certa vez o Semeador de Ideias nos dissera:

— Os piores estranhos são aqueles que vivem na mesma casa e fingem que se conhecem. Conversam banalidades, mas nunca o essencial.

Sagan estava no terceiro relacionamento depois que se separara da mãe de Alex, fora as amantes. O executivo dizia a todos que seu filho era a razão da sua vida. Claro, depois de dinheiro, *status*, trabalho, imagem social. O falante Sagan não percebia que Alex não sabia ser generoso, trocar experiências com seus colegas, ser colaborativo, trabalhar em equipe. Nunca prestara atenção ao fato de que Alex, como ele próprio, tinha baixa tolerância a frustrações e críticas.

Analisava seu garoto pelas provas escolares, e não pelo currículo existencial. Observava atitudes isoladas, e não seu comportamento global. O gênio do Vale do Silício, perito em encontrar defeitos de programas de computador, era uma criança para garimpar defeitos na personalidade humana. Seu filho era perfeito aos seus olhos. Não percebera que ele estava deprimido, tenso, ansioso nas últimas semanas.

— O olhar superficial nos faz enxergar o que queremos ver — dissera o Mestre em certa ocasião, estimulando-nos a penetrar nas camadas mais profundas das pessoas que nos circundavam. Sagan enxergava o que seus olhos queriam ver.

Alex gostava de Débora, uma garota da sua idade que estudava na mesma sala. Procurou conquistá-la, mas era um garoto obsessivo, chato, insistente, que não mudava de assunto. Falava apenas do jato do pai, da casa de praia, dos carros de luxo que possuía e, claro, dos jogos de *videogame*. Débora foi cansando do papo do menino mais rico da escola. Começou a se aproximar de David, filho de um simples comerciante, que tinha uma conversa mais interessante. Eram adolescentes que construíam relacionamentos ingênuos, mas Alex, como não tinha qualquer proteção emocional, levou o fora muito a sério. Ficou angustiado, irritado e, em alguns momentos, possuído pela raiva. Não relaxava quando se deitava. Demorava a adormecer.

Alex sempre fora sarcástico com seus colegas, era especialista em fazer piadas e colocar apelidos que os diminuíam. No entanto, não aceitava a moeda de troca. Como os garotos, às vezes, são cruéis, aproveitaram o fora que ele recebera para debochar do poderoso colega. Diziam que Alex era tonto, bola murcha, chifrudo. O volume de tensão em sua mente estava tão alto que cada vez que via Débora com David ficava irrequieto, atrapalhado, perdia a espontaneidade. Nutria o monstro do ódio dentro de si. Os deboches aumentavam, e a angústia de Alex também. Débora deixara de ser apenas uma colega de classe e passara a ser ideia fixa.

Perturbado, o garoto só se aquietava quando jogava *videogame*. Amava os jogos da empresa do seu pai, pois neles só havia duas possibilidades: matar ou morrer. Não havia trocas, acordos, tréguas. E Alex frequentemente vencia. Começou a passar noites a fio sem dormir, jogando ansiosamente. Participava dos jogos com intensa emoção, projetando nos adversários do *game* os "inimigos" da escola. Assassinava David, Débora, John, Lucas e outros, virtualmente. Detestava ir para a escola. Os dias e as semanas se passaram, e Alex começou a perder a autocrítica. A carga de tensão passou a ser tão intensa e irracional que desejou transformar a realidade, até então virtual, em concreta. Perdeu os parâmetros da realidade.

O garoto, como sempre, ficava com os empregados nos finais de semana. Certo dia, depois de um domingo solitário, após jogar por doze horas seguidas, das cinco da tarde às cinco da madrugada, foi para a aula completamente transtornado. Ao chegar, naquela segunda-feira fatídica, vestia um sobretudo preto e longo, embora não estivesse tão frio para usar aquele tipo de traje. Escondeu-se no banheiro coletivo e esperou todo mundo entrar na sala. Saiu aflito, suando frio, com o coração saltando pela boca, como se estivesse diante dos mais ferozes predadores.

Percorreu apressado o longo corredor, mas ninguém notou nada, a não ser o casaco estranho para a temperatura que fazia. Antes de o professor iniciar sua primeira aula, Alex deu um chute na porta que levou seus colegas a um sobressalto.

— Que agressividade é essa, Alex? Cadê o respeito? — advertiu o professor. — Entre, vamos começar a aula.

Mas o garoto não estava interessado na aula, e sim em caçar seus inimigos. Retirou do casaco duas armas de calibre 38 e começou a atirar, sem nenhum controle, nos colegas com os quais convivera durante anos.

O que aconteceu foi indescritível. Garotos e garotas caíam ao chão procurando desesperadamente um lugar para se esconder. O professor foi alvejado no estômago, mas não morreu. Caiu e conseguiu entrar debaixo da mesa, gemendo de dor. A cena era surreal. Alex começou a procurar seus inimigos, sempre atirando em quem estava à sua frente. Os estampidos das balas deixaram toda a escola em pânico. Alex acertou John na coxa direita, atingindo um ramo importante da artéria femoral. Viu Débora e atirou sem piedade. A menina foi atingida no ombro direito.

Procurou David com o canto dos olhos. Encontrou-o na lateral esquerda da classe, quase ao fundo. Atirou várias vezes, mas acertou apenas uma bala na parte inferior do tórax, do lado direito. A bala atravessou o corpo e atingiu a coluna vertebral. David agonizava ao lado de um jovem chamado Antônio.

Alex ia atirar à queima-roupa em David. Nesse momento, Antônio se lembrou de um homem que havia encontrado num grande estádio, trajando vestes estranhas, que lhe fizera uma pergunta inesquecível: "Há quanto tempo a escola está em você?".

Confuso, Antônio respondeu a série em que estava. Mas o homem lhe dissera: "Você não entendeu direito. Não lhe perguntei em que ano você está na escola, mas há quanto tempo a escola está em você." Percebendo que Antônio continuava perdido, prosseguiu: "Pois o dia em que entender se tornará um vendedor de sonhos". Antônio viu Alex mirar no peito de David. Era amigo de ambos. Precisava protegê-los de alguma forma. Subitamente, levantou-se e enfrentou Alex com incrível coragem.

— Pare, Alex! Os fracos usam as armas; os fortes, a inteligência! — Alex virou-se e apontou as duas armas para Antônio, que, em vez de recuar, fitou seus olhos e ordenou:

— Alex, use sua inteligência! Olhe para mim! Sou seu amigo, choramos e rimos juntos muitas vezes. Você está matando seus colegas!

Antônio vendeu o sonho da generosidade num momento em que a vida não valia nada para Alex. Era o único jovem que criticava seriamente os outros alunos por debocharem do filho de Sagan. Era seu amigo de fato. Alex caiu em si. Como se lhe tirassem a venda dos olhos, olhou ao redor e viu seus colegas ensanguentados.

— O que eu fiz, meu Deus? — Em estado de choque, levou os revólveres à cabeça e se preparou para atirar.

Antônio, novamente aos gritos, interveio categoricamente:

— Não! Não se mate! Eles estão vivos! — falou convictamente, apesar de não ter certeza da sua afirmação. Vendo Alex vacilar, Antônio se aproximou e tirou os revólveres dele. Nesse momento, alguns professores e funcionários entraram pela porta e contiveram o atirador, que já estava dominado pela inteligência do garoto que aprendera a diferença entre estar na escola e ter a escola dentro de si. Chamaram a ambulância e a polícia.

Sagan foi rapidamente para a escola, mas, como estava conosco em um lugar distante, levou trinta minutos para concluir o trajeto. Ao chegar, viu um tumulto enorme, provocado pelas rede de TV, rádios, jornais. Era quase impossível passar. Quando entrou no pátio, começou a chamar insistentemente:

— Alex? Alex?

De repente, seu pânico aumentou. Viu manchas vermelhas espalhadas pelo corredor. Entrou subitamente na sala do filho, e as poças de sangue o chocaram. Em crise, gritava sem parar:

— Cadê meu filho? Alex? Alex?

Alguns pais, cujos filhos eram da classe de Alex e tinham sido baleados, perderam a cabeça. Num ato incontrolável, queriam linchar o poderoso Sagan, dizendo:

— Assassino! Pai de assassino! Que educação você deu ao seu filho? — e o agarraram brutalmente. Alguns policiais contiveram os agressores. Pela primeira vez, o poder de Sagan não significava nada. Ele era um pai nu, um homem despedaçado, que conhecera a miséria humana em seu sentido mais pleno, tal como meu Mestre. Ninguém queria saber se ele era o gênio do Vale do Silício, um dos homens mais cortejados do mundo virtual. Sagan não era nada. Os dias mais angustiantes do poderoso executivo estavam por começar.

Ganhou notoriedade mundial como pai do protagonista do terror. Tornou-se manchete dos jornais impressos e das TVs em todo o mundo. Um escândalo jamais previsto em sua agenda. Foi crucificado pela opinião pública e execrado como pai e educador. Sobrou-lhe o resto: dinheiro, muito dinheiro. Havia poucos dias, proclamara veementemente para os acionistas da You&Game que "o futuro é nosso!". Sim, um futuro sombrio lhe pertencia. Não conseguia sequer olhar nos olhos do mais humilde acionista da empresa. Enterrou o sonho do futuro no pesadelo do presente. O homem que tinha o dinheiro como seu deus, que comprava a felicidade, foi abarcado pelo caos da existência, viu seu orgulho se estilhaçar e começou a clamar por Deus:

— Ah, meu Deus! O que eu fiz para merecer isso? Onde errei?

Foi visitar o filho numa casa de detenção para menores. O executivo estava em crise de pânico, ofegante, irado, não conseguia encará-lo. Não sabia se o agredia ou se o abraçava. O homem das grandes decisões estava confuso, sem ação.

— Por quê, Alex? Por quê?

Alex chorava, soluçava sem parar. Esfregava as mãos na cabeça, batia-a na parede e precisava ser contido por policiais.

— Não sei, não sei, papai!

A imprensa entrevistou os colegas de Alex, e as reportagens concluíram que ele era um ciberdependente, jogava *videogame* compulsivamente, não dormia, não estudava, não construía relações saudáveis, não praticava esportes. Vivia uma adolescência furtada. Alguns jornalistas, desafetos de Sagan, mas que o temiam, aproveitaram seu drama para noticiar bombasticamente que o filho do poderoso Sagan "caçara" seus colegas com as armas do pai, tal qual os personagens dos jogos da You&Game faziam com seus inimigos.

As ações da companhia, que estavam em queda, desabaram ainda mais. Foi um desastre sem precedentes. Mas, para Sagan, o dinheiro, naquele momento, não importava mais. O mundo desabara sobre si, só queria um pouco de paz. Mas onde poderia encontrá-la? Em qualquer lugar aonde fosse, levaria junto os seus fantasmas.

CAPÍTULO 15

Um seguidor clandestino

Nenhum psiquiatra conseguira aplacar a angústia de Sagan, embora os tranquilizantes em doses altas aliviassem um pouco sua ansiedade. Sono entrecortado, despertar em sobressaltos e terror noturno faziam parte do cardápio mental desse homem. E não parava por aí: somatizava seu estresse em dores de cabeça, hipertensão arterial e gastrite hemorrágica. Vomitara sangue duas vezes. Seus tiques, como piscar os olhos, roer as unhas e estalar os dedos, se intensificaram.

As notícias não cessavam e continuavam a assombrá-lo. Não conseguia mais dirigir a poderosa You&Game. Pediram seu afastamento. A companhia estava recebendo uma série de ações de pais cujos filhos ficaram ciberdependentes ou foram vítimas da agressividade desses jovens. Os pedidos de indenização eram milionários.

Hora após hora, dia após dia, Sagan acompanhava o estado de saúde das pessoas que Alex baleara. Felizmente, nenhum de seus colegas havia morrido. Mas David, se saísse vivo, tinha grande chance de ficar paraplégico, o que de fato depois aconteceu. John teria de se submeter a uma cirurgia reparadora na coxa direita. O professor e Débora estavam na UTI, mas fora de perigo. Os demais haviam sido feridos em áreas não vitais.

Sagan ia de mal a pior, saía pouco a pouco do universo da ansiedade para o da depressão. Desânimo, perda do prazer de viver, humor profundamente triste, perda do sentido existencial e isolamento social o envolviam. Começou a questionar seus valores, suas teses, suas verdades. Falara como um profeta sobre o ilhamento humano produzido pela indústria do entretenimento, um ilhamento positivo, e agora sentia a dor de estar ilhado emocionalmente, encarcerado em si mesmo. Perdera a capacidade de se aventurar, inovar, amar. Paranoico, por onde passava sentia que era estigmatizado pelas pessoas, ainda que com olhares sutis. Criava fantasmas que não existiam.

O grande Sagan sentia-se tão apequenado que quando frequentava nossas reuniões não tinha coragem para argumentar ou contra-argumentar as ideias que discutíamos em grupo. Preferia permanecer como uma sombra. Apenas acenava com a cabeça, concordando com as palavras do Semeador que tocavam seu psiquismo.

— A culpa branda corrige nossos caminhos; a culpa intensa destrói nossa capacidade de caminhar.

Nesse dia, havia mais de uma centena de pais ouvindo o seu discurso. Observando-os atentamente, o Mestre nos disse palavras de uma sensibilidade única.

— É mais fácil dirigir uma empresa com milhares de funcionários do que educar uma criança. Como ensinar nossos filhos a chorar, se não lhes falamos sobre nossas lágrimas? Como lhes transmitir a necessidade de paciência nessa sociedade agitada, se perdemos o controle diante de pequenos estresses? Reconhecer nossas debilidades e fragilidades é emocionalmente relaxante e intelectualmente educativo.

Sagan estava a milhas de distância dessa rotina educacional. Alardeara suas vitórias ao filho, mas nunca contara sobre as crises pelas quais passara, nunca abrira sua agenda para lhe mostrar suas falhas e inseguranças. Nenhum dos seus milhares de funcionários nem as mulheres que "amou" o ouviram pedir desculpas. Era um perito em defender suas ideias até as últimas consequências. Comportava-se muito mais como um deus do que como um homem. Um deus emocionalmente imaturo, mas com poder nas mãos.

De repente, as palavras do Mestre ecoaram intensamente nesse pai em estado de falência:

— Mesmo pais inteligentes podem cometer sérios erros na educação dos filhos e, num pico de tensão, dizer palavras que jamais deveriam ser ditas. Professores generosos, num rompante de ansiedade, podem excluir, julgar, sentenciar seus alunos. Sob o calor da cólera, até filósofos humanistas pegam em armas e matam. A agressividade é uma reação instintiva, espontânea, do cérebro humano; a tolerância é uma característica conquistada lenta e continuamente.

Sagan tapou seus ouvidos. Aquelas palavras dissecavam seus crassos erros, expunham sua nudez. Quando se levantou para ir embora, ouviu algo que o torpedeou:

— Os mais inumanos psicopatas um dia foram crianças com potencial para se doarem, serem solidárias e generosas. Deveríamos olhar o que está por trás da parede de ferro dos seus comportamentos.

Nesse momento, Sagan abaixou sua cabeça e se sentou novamente. Ele lera muitas reportagens na imprensa que o condenavam como um pai omisso, assim como atacavam seu filho, sem conhecer sua história. Julgavam o jovem Alex um sociopata, um garoto violento, impulsivo, intolerante, que colocava em risco a sociedade. Julgavam-no ainda um psicopata frio, destituído de sentimento de culpa, incapaz de sentir a dor do outro.

— A sociedade é hipócrita. Contribui para formar personagens agressivos e depois os exclui do seu interior como lixo, como se jamais tivessem pertencido a ela — enfatizou o Mestre.

Alex cometera crimes inaceitáveis, mas fora uma criança afetiva até os sete anos de idade, embora fechado, tímido e inseguro. Gostava de conviver com Thomas, o humilde caseiro do rancho do pai, e tomar refeições em sua casa, sem preconceitos. Era amigo de seus dois filhos. Jamais os discriminara; ao contrário, gostava tanto deles que usava parte da sua mesada para lhes comprar brinquedos. Apaixonado por animais, cuidava deles e os protegia. Sua sensibilidade era marcante. Quando, aos oito anos, seu cão Rex adoecera e morrera em poucos dias, Alex ficara duas semanas desanimado, entristecido. Todas essas reações revelavam que o menino não era um sociopata nem um psicopata na primeira infância.

Nos últimos seis anos, período em que a You&Game se tornou uma grande corporação e a fortuna de Sagan saltou de poucos milhões para mais de um bilhão de dólares, ele não conseguiu mais acompanhar de perto o desenvolvimento da personalidade do pequeno Alex. Para compensar sua ausência, propiciou-lhe a melhor escola, empregados, clubes, seguranças, deu-lhe condições para fazer cursos de línguas, música, programação de computador, equitação, corrida de *Kart*, tênis, basquete, vôlei. O menino não tinha tempo para respirar. Haviam roubado sua infância.

Com o passar dos anos, Alex foi se entediando e se estressando pelo excesso de atividades. Canalizou sua energia para o mundo da internet e dos *videogames*. Era mais fácil nutrir-se com o mundo virtual do que elaborar aventuras.

Enquanto recordava passo a passo a história do seu filho, Sagan ouviu o lúcido Semeador de Ideias dizer:

— Quem investe apenas nos jovens que lhe dão retorno não é digno de ser chamado de educador. Um excelente educador abraça os alienados, atrai os que o decepcionam, cativa os rebeldes, aposta nos que erram frequentemente, dá o melhor de si para aqueles em quem ninguém acredita. Perdas sempre nos acompanharão; o que nos diferencia dos animais é o que fazemos com elas.

Nesse momento, aconteceu um fato inusitado. O grande Sagan, que estava pensando em anular seu filho da sua história, interrompeu em prantos o discurso do Mestre:

— Obrigado! Obrigado! Vou investir em meu filho. Obrigado!

E saiu enxugando os olhos.

Até aquele momento ninguém conhecia direito a história desse misterioso seguidor. Tínhamos apenas a impressão de que devia ser um homem fragmentado. Após sua saída, o Mestre terminou sua exposição naquele dia:

— Somos todos perdedores. Se não perdemos na vida, perdemos a vida. Os ganhos tornam-nos deuses; as perdas, humanos. Quem perde com dignidade conquista uma tranquilidade que os tranquilizantes não podem dar.

CAPÍTULO 16

Chocando pais e professores

Dias depois desses acontecimentos, passamos por um local onde estava ocorrendo o XX Congresso Internacional de Educação. Havia mais de três mil professores, coordenadores pedagógicos e diretores de escolas de mais de vinte nações reunidos. O Semeador de Ideias fitou os participantes que entravam euforicamente no congresso e sorriu. Depois, olhou para o local do evento e disse, inconformado, aos mais próximos:

— Observem esse ambiente. Faltam conforto, espaço, segurança. As feiras de produtos e serviços, bem como os congressos dos partidos políticos, ocorrem em ambientes luxuosos, mas os congressos de educação são realizados em ambientes humildes. A educação deveria ser tratada como a joia da coroa da sociedade, mas fica em segundo plano.

O Semeador de Ideias não fora convidado para participar do congresso, não tinha credencial nem representava qualquer instituição, a não ser a dos miseráveis que perambulavam pelas ruas. Mas se interessou por ele. Sempre tivera mais prazer em falar de gente do que da cotação do ouro ou do dólar, mesmo nos tempos de glória. Habilidoso, rompeu o frágil esquema de segurança. Invadiu o local e percorreu os corredores sob olhares assustados. Alguns dos discípulos foram barrados na entrada e outros conseguiram entrar com ele. Suas vestes nunca passavam despercebidas. Muitos já tinham ouvido falar dele ou visto sua foto nos jornais. Alguns perguntavam-se em voz baixa: "Será ele?".

Durante sua caminhada pelo evento, o Mestre bisbilhotou algumas salas, até que entrou no anfiteatro maior, com mil lugares disponíveis, mas com dois terços das poltronas vazias. Ouviu a preleção de um palestrante e gostou da abordagem. Aplaudiu, porém ninguém o acompanhou. Após o término da conferência, em vez de ir embora, foi até o palco. Todos saíam, mas ele novamente nadava contra a correnteza. Ninguém entendia o personagem. Havia menos de uma centena de pessoas no anfiteatro, ansiosas para ir almoçar, quando ele chegou ao palco. Com a maior naturalidade, pegou o microfone. Pensei comigo: "O que falará neste ambiente intelectual? Será que não percebe que não terá plateia?".

Alguns professores e professoras, que saíam apressadamente do anfiteatro, voltaram o rosto para o homem excêntrico que começara a discursar. Logo um burburinho deu lugar ao espanto, o espanto cedeu espaço à curiosidade, e todos se aquietaram. Como fagulha em palha seca, alguns diziam: "É ele!"; outros indagavam: "Quem?". Em pouco tempo, a notícia vazara para o lado de fora do anfiteatro: o maltrapilho milionário, que estava deixando em polvorosa a sociedade, dava uma palestra.

Nós não sabíamos, mas muito daquilo que o Mestre dizia para seu pequeno grupo de amigos e que vazava para as comunidades virtuais estava rendendo calorosos debates em escolas fundamentais, secundárias e universidades. Minutos depois, o anfiteatro ficou superlotado, havia gente em pé, sentada nas escadas e até na lateral do palco. Ouvi-lo falar era um presente para os ouvidos ávidos por novos conhecimentos.

O Mestre respirou, concentrou-se e soltou a língua:

— Perguntem quanto ganha um psiquiatra que trata de pessoas doentes e comparem com o salário de um professor, que, por meio da educação, previne os transtornos psíquicos. Ficarão escandalizados. Perguntem quanto ganha um executivo que lida com a matemática financeira, tão lógica e previsível, e comparem com os salários dos professores, que trabalham com a complexa matemática da emoção, em que dividir é multiplicar e diminuir é somar. Ficarão perplexos. Perguntem o quanto são treinados os trabalhadores das indústrias que constroem máquinas e comparem com o treinamento oferecido para aqueles que cuidam da mais fantástica máquina, a mente humana. Ficarão assombrados.

Bastaram essas palavras para surpreender e conquistar os professores. Foi aplaudido imediatamente. Quando era bilionário, o Mestre apreciava os professores, mas, depois que se tornara um maltrapilho e compreendera melhor o sofisticado intelecto humano, passara, simplesmente, a amá-los.

— Não me curvaria diante de qualquer rei ou presidente, mas me curvo diante do mais simples professor ou professora. Com uma mão eles escrevem num quadro, com a outra mudam o mundo, porque mudam a mente de um aluno.

E se curvou humildemente. Novamente recebeu uma salva de palmas. Em seguida, disparou a crítica, não contra os professores, mas contra o sistema educacional, teatro no qual eles encenavam a peça.

— Não fui convidado a falar! Mas quem diz que educar é submeter-se às ordens? O respeito é fundamental no sistema educacional, mas transformar os alunos numa plateia de espectadores passivos e submetê-los ao regime das provas para repetirem informações transmitidas em sala de aula são excelentes caminhos para formar servos autômatos, para formar soldados para as guerras, e não mentes livres e afetivas, não seres humanos questionadores. A plateia que vocês têm nas mãos vai dirigir o mundo. Terá a responsabilidade de remover o lixo que nós, adultos, criamos? Digam-me: ela está preparada?

Os educadores ficaram chocados com sua abordagem direta. Ele insistia em afirmar que o sistema educacional clássico era um campo fértil para produzir timidez, medo de debater, insegurança, contração da imaginação e da sociabilidade. Eram acusações graves.

Nesse momento, olhei para meu lado esquerdo e vi, a cerca de dez metros, David, Michael e William, os três professores de sociologia que diziam que eu seguia um psicótico. Estavam de olhos estatelados. A essa altura, já tinham perdido noites de sono ao saber que o psicótico era Mellon Lincoln, o mantenedor da universidade em que lecionavam. E o "psicótico" continuou falando suas loucuras:

— Desde o alvorecer da humanidade, construímos o processo de ensino acreditando que existe lembrança. Lembrança! Lembrança! Lembrança! — repetiu três vezes e afirmou: — Reis deram crédito à lembrança, generais nela confiaram, educadores de todo o mundo e de todas as eras colocaram toda sua fé na lembrança. Mas existe lembrança, senhoras e senhores?

Eu pensei comigo: "É claro, não há dúvida". A lembrança é um fenômeno básico e fundamental da mente humana. Sem ela, não haveria o resgate das informações da memória, nem evolução do conhecimento, e muito menos da sociedade. Mas ele nos assombrou:

— O pilar central da educação está errado! Não existe lembrança como nós a concebemos. O *Homo sapiens*, quando resgata seu passado, o distorce, acrescenta invariavelmente cores e sabores. — Após dar tal informação, voltou a usar a arte da dúvida: — Se há lembrança pura do passado, as provas escolares que exigem o registro fiel das informações ministradas em sala de aula estão corretas. Mas — ressaltou —, se não há lembrança pura, as provas escolares podem assassinar a formação de pensadores!

Os professores e professoras entreolharam-se. Eles estudavam Paulo Freire, Vigotsky, Piaget, Gardner e tantos outros brilhantes pensadores que questionavam metodologias e processos de aprendizagem, mas nunca duvidaram do pilar central da educação. Lembrança era um dogma santo, inquestionável. Mas o maltrapilho questionou. Talvez estivesse delirando.

— Se estudarmos o processo de construção do pensamento, ficaremos perplexos ao descobrir que o pensamento consciente é virtual, jamais incorpora a realidade do objeto pensado. Se não fosse assim, não teríamos liberdade criativa para imaginar o passado, que é irretornável, nem pensar no futuro, posto que inexistente. A virtualidade do pensamento libertou o imaginário humano; percebam quantas imagens produzimos sobre pessoas e fatos em nossa mente. Mas, ao mesmo tempo, nos aprisionou, pois não temos a realidade dessas pessoas e desses fatos. Um psiquiatra ou psicólogo clínico, por mais habilidoso que seja, jamais penetra na angústia, na fobia ou no pânico dos seus pacientes. Há um espaço intransponível entre eles. Da mesma forma, um pai jamais alcança o conflito de um filho, muito menos um professor atinge a essência da insegurança de um aluno. O pensamento acusa e explica o objeto, mas mantém uma distância infinita dele.

Ficamos perturbados, mas ele nem sequer deu tempo para que resolvêssemos nossas dúvidas, disparando:

— Eu entendo um pouco de solidão, em suas várias vertentes. Estamos sós, não porque podemos ser abandonados pelos outros ou até por nós mesmos, e sim porque o pensamento, que é a ferramenta fundamental para entender, descobrir e discorrer sobre o mundo, nunca incorpora a realidade deste mundo. Ele é virtual, como eu disse, construído por um sofisticado sistema de interpretação. E a interpretação não é um fenômeno puro ou confiável, mas deliciosamente contaminado pelo ambiente emocional, ou seja, como estou; pelo ambiente da memória, quem sou; pelo ambiente social, onde estou; pelo ambiente motivacional, qual o meu interesse; e pelo ambiente metabólico-cerebral, que seriam, por exemplo, os neurotransmissores.

Tentávamos organizar em nossa mente suas ideias e descobrir a bomba que soltaria das suas conclusões, mas estávamos confusos. Pelo menos, eu estava. Ele acrescentou:

— Mudando somente um desses ambientes, como o emocional, mudaremos o pensamento, a interpretação do comportamento de uma pessoa. Quantas vezes, passado um momento de tensão, vemos por outros ângulos uma crítica, ofensa ou frustração?

Começaram a se dissipar as nuvens do meu céu mental. Principiei a entender que o fenômeno da lembrança é microdistinto a cada momento, depende do jogo dos múltiplos ambientes que afetam nosso psiquismo. E, sem meias palavras, ele discorreu:

— O *Homo sapiens*, assim como não incorpora a realidade das pessoas e dos objetos do presente, também não absorve a realidade das experiências passadas. Ele visita sua memória, como um diretor de cinema, e traz à tona o filme do passado, mas com as cores emocionais, sociais, existenciais e motivacionais do presente. Portanto, o filme do presente não é o mesmo do passado, por mais que pareçam ser idênticos. Isso demonstra que a lembrança, como pilar central da educação, inexiste. Pensar no passado é distorcê-lo e reinventá-lo. Uma parte da evolução na literatura, pintura, teatro, ciência, religião não ocorreu porque o *Homo sapiens* o desejou conscientemente, mas porque lembrar o passado é recriá-lo. Só existe lembrança com maior grau de pureza no caso de informações e dados numéricos, e mesmo assim há distorções. Todos os prazeres, medos, ansiedades, rejeições, ciúmes, perdas, frustrações do passado não são lembrados, mas reconstruídos virtualmente, com variados graus de impureza, no presente.

Meus amigos que o chamaram de maluco não se moviam em suas poltronas. Provavelmente, como eu, pensavam: "Se não existe lembrança do passado, as consequências são sérias e inumeráveis. As provas escolares, as negociações diplomáticas, as reuniões de trabalho, o processo psicoterapêutico, a educação das crianças, as relações educador-educando, médico-paciente e até a compreensão da história, tudo deve ser reavaliado".

— Cuidado, o pensamento é virtual, a verdade é inatingível. — E repetiu a ideia que agora já entendíamos: — A virtualidade que libertou nosso imaginário também nos aprisionou. É muito fácil distorcer nossos julgamentos. Ao falar e criticar os outros, frequentemente estamos falando de nós mesmos. — E bateu na tecla que eu achava ter entendido, mas de que sabia tão pouco: — Não sejam deuses, critiquem os ambientes internos, esvaziem-se, coloquem-se no lugar dos outros, treinem enxergar além das palavras.

Nesse momento, entendi que é muito fácil psiquiatras cometerem sérios erros nos seus consultórios; juízes, nos tribunais; educadores, nas salas de aula e em casa. Eu, particularmente, era rápido em julgar meu filho, expor seus erros, considerava-o relapso, teimoso, agressivo, insensível. Falava dele, mas no fundo falava muito de mim. Fazia o mesmo com muitos dos meus alunos. Usava o pensamento com uma atribuição que ele não tinha, ou seja, como fonte de verdade. Infelizmente, meu pensamento era desprovido de altruísmo, solidariedade, generosidade, afabilidade.

Enquanto meditava sobre o meu passado, o perturbador Semeador de Ideias instigava a plateia:

— Tentem recordar o dia mais triste ou mais alegre de sua vida neste exato momento. Se fizerem esse exercício, perceberão que a recordação não terá o mesmo conjunto de pensamentos e de emoções da experiência original.

Uma professora de psicologia levantou as mãos e comentou:

— Se o pensamento é virtual, nós vivemos socialmente ilhados. A natureza virtual dos pensamentos pode nos distanciar ou nos aproximar muito. Nesse caso, não apenas profissionais de saúde mental deveriam ser treinados para interpretar seus pacientes, mas qualquer ser humano, inclusive as crianças. Tal treinamento passa a ser tão importante como aprender a andar ou fazer cálculos matemáticos.

— É no que acredito — respondeu o Mestre.

Nesse momento, Jacob ficou tão inspirado que disse:

— O caos da Palestina só será resolvido se judeus forem treinados sistematicamente a se colocar no lugar dos palestinos, e vice-versa. Só sentindo a dor do outro serão mais justos no processo de interpretação. Farão escolhas e entenderão que todas as escolhas têm perdas. *Shalom!*

E Salim acrescentou:

— Dois povos irmãos, procedentes da mesma fonte, o patriarca Abraão, mas vivendo como se fossem eternos inimigos.

Pensar como espécie é, antes de tudo, entender os limites do pensamento virtual e saber que a verdade não está nas mãos de um povo, ela é um fim inatingível. Os que defendem suas causas e posições como verdades absolutas cometem um crime contra a solução dos conflitos.

A plateia os aplaudiu. Fiquei impressionado com a evolução desses dois discípulos. Tinham consciência de que possuíam a mesma origem, Abraão, pai dos judeus e dos árabes. No começo da jornada como seguidores do maltrapilho, desconfiavam um do outro e frequentemente se atritavam, mas pouco a pouco aprenderam a ouvir o inaudível e a se abraçar sem medo.

Para minha surpresa, David, o professor de sociologia que outrora mais me criticara, mas que era culto e perspicaz, levantou a mão e publicamente argumentou em voz alta:

— Se nossa mente não se lembra do passado, o modelo educacional que varreu os séculos não se sustenta. O índice que mede a qualidade da educação mundial está inadequado. As provas escolares podem assassinar pensadores, que por sua criatividade não se adaptam ao regime das provas. Dar liberdade dentro de determinados critérios para os alunos soltarem sua imaginação, colocarem para fora sua "rebeldia" e expressarem seu raciocínio esquemático pode ser fundamental para a formação de uma casta de pensadores que pensam criticamente.

Entusiasmado com essa conclusão, o Mestre o elogiou:

— Parabéns, professor. O objetivo do córtex cerebral não é funcionar como um depósito de informações, mas como um suporte para a criatividade, um canteiro para a produção de novas ideias, impressões, análises. É possível dar nota máxima para quem errou todos os dados. Mas, infelizmente, as provas escolares não medem essas qualidades.

Ele continuou, comentando que mais de 90% do que era ensinado em sala de aula tinham baixíssima utilidade. Qualquer computador de segunda categoria resgatava mais informações e fazia mais cálculos do que o maior matemático da humanidade. Mas insistíamos em ensinar fundamentados na lembrança. A escola estressava os alunos e os professores com o excesso de dados, sem entender que os grandes gênios da humanidade, como Einstein, Freud, Sócrates, Platão, tinham menos informações do que a maioria dos profissionais que hoje os cultuam. Por que tiveram sucesso? Não porque tiraram as melhores notas ou porque o armazém da memória deles era superavantajado, mas porque foram insurgentes, intuitivos, imaginativos, esquemáticos, metafóricos, correram mais riscos. Não eram mentes engessadas.

Depois disso, suplicou aos professores aquilo que suplicava a nós. Rogou que se humanizassem em sala de aula, subvertessem um pouco o conteúdo programático, escancarassem o livro de suas próprias histórias, falassem de si mesmos para formar pensadores humanistas, e não repetidores de conhecimento.

— Eu tenho alguns alunos — e olhou para nós. — Aos poucos, tenho dissecado minhas dores mais cálidas, minhas loucuras mais ocultas. Eles têm percebido que não seguem um mestre, um guru, um sábio, mas um pequeno caminhante à procura de si mesmo, um eterno aprendiz deslumbrado com os mistérios da existência. — E, então, soltou sua clássica e instigante pergunta: — Quem sou? Quem és?

Calou-se subitamente e saiu do anfiteatro. Foi ovacionado em pé. Enquanto o maltrapilho caminhava, alguns professores foram abraçá-lo, inclusive meus colegas de universidade. Depois se aproximaram de mim e perguntaram:

— Quando será a próxima reunião?

— Ninguém sabe. Ele não marca data, local nem tema — comentei, mas eles não se abalaram.

— Nós o acharemos.

Em seguida, abraçaram-me afetuosamente. Não olharam para minhas vestes rotas, amassadas, descoradas, descombinadas. Eu era um maltrapilho que seguia um miserável. Não tinha nada para lhes oferecer, a não ser o amor pelo mundo das ideias.

Outros professores e professoras ficaram tão sensibilizados que pediram autógrafo ao Semeador de Ideias. Mas ele lhes disse:

— Mestres pedindo autógrafo a mim? Peçam uns aos outros. Vocês são os verdadeiros heróis da sociedade. Sobrevivem num ambiente estressante, sem notoriedade social e com baixos salários. Não são gigantes? Sobre seus ombros está o futuro da humanidade, e cobram e reclamam tão pouco por isso. Não são heróis? — E reiterou suas palavras: — Vocês mudam o mundo ao mudar o mundo de um aluno. Obrigado por existirem — agradeceu, dobrando o corpo novamente diante deles.

Todos ficaram emocionados diante do nobre *status* que ele lhes dava. Havia mais de um milhão de professores e professoras, da Europa, Américas, Ásia e África, doentes devido ao grave estresse profissional a que se submetiam. Mas eram considerados meras estatísticas para a maioria dos dirigentes políticos. Foi a primeira vez que vi e ouvi os humildes anônimos da sala de aula serem colocados como estrelas de primeira grandeza da sociedade.

CAPÍTULO 17

O encontro

No dia seguinte ao do Congresso, o Mestre despertou no viaduto velho, sujo e cheirando a mofo onde dormira, no lado norte da periferia da cidade. O sol ainda não despontara. No entanto, ele olhou para o horizonte e sorriu. Não havia motivos visíveis para sorrir, mas não dependia deles, criava-os ele mesmo. Era um miserável que repousara sobre um velho colchão, protegido por panos rasgados, porém tinha descansado. Levantou-se e caminhou alguns passos solitariamente.

Aproximei-me dele em silêncio, sem que percebesse minha presença. Diferentemente dele, eu estava preocupado, não dormira direito à noite. Aliás, havia algumas noites meu sono era entrecortado. Dormia e acordava. E não apenas porque tinha dores nas costas, mas na cabeça também, pela tensão emocional que me envolvia. Para mim, estava insustentável a presença dessa tensão. Minha insônia tinha ainda outro motivo: os roncos barulhentos do Prefeito e de Bartolomeu. Tocavam "instrumentos" desafinados a noite toda. Nem os ratos se aproximavam.

O Mestre, ao perceber que eu o estava observando, me disse:

— Silêncio, Julio César. Respire profundamente e se entregue aos primeiros raios da aurora. Veja que *show* imperdível. Conheci homens que moravam em mansões e que jamais se sentaram na primeira fila para assistir a este espetáculo.

Em tudo o Mestre via beleza. Precisava de pouco para sentir grandes prazeres. Nem parecia um dos homens mais ricos do planeta. E me advertiu:

— Há intelectuais tão incultos que só têm cultura acadêmica. Há pessoas tão frágeis que só têm poder político. Desacelere o passo, acalme-se. Não engula os estímulos, como faz com a comida. Dilate o tempo, retarde a percepção da morte. Treine sua emoção pela arte de observar. Deguste lentamente o mundo das imagens e dos sons.

Ele respirou profundamente. E eu também. Aliviei minha tensão. Jurema e Mônica em breve chegariam de suas casas e nos encontrariam. Os demais discípulos estavam dormindo, enrolados em velhos cobertores, tentando escapar do frio. O cérebro deles não tomou o café da manhã emocional que o Semeador de Ideias me apresentou. Em seguida, ele se sentou em duas caixas de maçã, dispostas uma sobre a outra, desviou seu olhar do nascer do sol e se entregou às imagens das casas pobres à sua frente.

— Que belo! Que fascinante!

Esforçava-me para ver o que ele via, mas era incapaz. As casas eram antigas, pequenas, desbotadas, sem jardins e malcuidadas. Que beleza havia nessa pobre periferia? Mas, vendo além dos limites da imagem, o Mestre começou a perguntar para si mesmo, em voz alta:

— Que lágrimas essas velhas paredes já viram? Que sonhos ouviram? Que projetos se materializaram em seus espaços?

Que segredos as rachaduras armazenaram? Que brincadeiras presenciaram?

Deixei-me navegar pelo imaginário, libertei o pensamento, permiti-me viajar em suas ideias. Embora houvesse estudado sociologia da arte, não respirava a arte, não sabia dar alforria ou emancipar a liberdade criativa dos pensamentos na esfera da virtualidade. Não sabia viajar sem sair do lugar. Era lógico, cego, cru, tosco. Mas o professor que eu seguia me incentivava a sair do prejulgamento e entrar no delírio contemplativo. E, ao fazer esse exercício, cada vez mais entendia por que a tristeza estava se expandindo nas sociedades consumistas. Estávamos morrendo mais cedo por dentro, embora vivendo mais tempo por fora. Quanto mais pobre a dieta emocional, mais importante era o papel da psiquiatria e psicologia. Crianças e adolescentes gordinhos, e psiquismo magérrimo. Éramos uma raça de desnutridos.

Sabendo que eu sempre fora uma pessoa depressiva e pessimista, ele me provocou:

— A existência promove um espetáculo diário fascinante para observadores de segunda classe: nós! Não rompemos o cárcere da rotina, não rompemos os parâmetros do belo e do feio, do sim e do não. Não garimpamos outras inumeráveis possibilidades.

Enquanto estava refletindo sobre esse tema, uma pessoa veio em nossa direção. Não parecia ser um habitante do local, nem um policial querendo nos prender por vadiagem, nem um funcionário da prefeitura querendo nos importunar e nos fazer abandonar as ruas e nos fixar em albergues. O homem trajava um terno azul impecável, com corte italiano, e gravata de seda listrada.

À medida que a distância diminuía, eu tinha a sensação de que o rosto não era estranho. Talvez fosse um dos muitos seguidores eventuais do Mestre. Mas àquela hora? A aurora mal iluminava sua angustiada face. Testa franzida, rosto sem brilho, olhar cabisbaixo. Parecia que perdera a paz em seu leito, demonstrava que não dormia havia dias. Ambos, o Mestre e o estranho, cruzaram os olhares e ficaram mudos, inertes, paralisados.

Fiquei surpreso e, ao mesmo tempo, confuso com o mutismo dos dois. Será que era um admirador procurando conselhos? Mas o Semeador de Ideias não dava respostas prontas, nem caminhos mágicos. Instigava a mente dos caminhantes com a cálida arte da dúvida, para que eles mesmos se reencontrassem. Será que se conheciam?

Longos dois minutos de silêncio me causaram apreensão. Antes que as palavras ocupassem o palco dos lábios, as lágrimas se fizeram de atrizes e deslizaram por seus rostos. Ambos ficaram comovidos. Parecia que o tempo devolvera capítulos silenciosos de suas histórias. Ao me aproximar a menos de quatro metros, reconheci o personagem. Era o mesmo que o Mestre criticara na entrada do International ML Center. E parecia a mesma pessoa que já estivera conosco às ocultas. Era Mark Sagan, e aquele era o primeiro contato direto que tínhamos com ele.

— Mellon, me desculpe. Sinto muito pela perda que sofreu.

Mas Mellon não mostrou grande entusiasmo. Apenas moveu lentamente a cabeça em sinal de agradecimento. O estranho parecia querer abrandar algumas importantes dívidas que tinha com o Mestre. Constrangido, Sagan lhe disse:

— Precisei de você, e você estendeu suas mãos. Investiu em mim quando todos me tachavam de insano e me enriqueceu. Tornou-se meu melhor amigo. Mas eu não correspondi ao que esperava.

Mais tarde, fiquei sabendo que Mellon Lincoln usara seu fundo de investimento para resgatar a empresa de Sagan, que estava à beira da falência. Além de saneá-la, apostara nela e fizera grandes aportes de investimentos. Contratara uma equipe de criativos engenheiros e de administradores, que redesenhou a empresa. Depois, abrira seu capital. Sagan ficara com 20% das ações, o fundo de Mellon Lincoln com 51% e o resto das ações fora pulverizado na bolsa de valores. A criatividade de Sagan e o choque de gestão de Mellon resultaram numa união perfeita. E entre eles nascera uma grande amizade.

Sagan ficara sabendo que a casa nas Bahamas, onde Mellon se isolara, sofrera uma grande explosão, seguida de incêndio. Para ele, o amigo estava num túmulo. Sagan continuava a vomitar suas falhas e a se desculpar. Pensava que Mellon soubesse das muitas tramoias que fizera, mas aparentemente não sabia. Estava mais preocupado com seu grupo de amigos do presente do que em fazer uma caça às bruxas do passado.

— Você pode pensar que o chamei de louco diante do seu comportamento na ocasião de suas terríveis perdas, que fiz complô para excluí-lo da presidência do conselho do grupo. E ainda pode pensar que fui um crápula quando você mais precisava de mim. Mas algumas atitudes que tomei foi pensando justamente em você, em preservar o império que você construiu.

Mellon, então, expressou uma ideia simples, mas impactante, indicando que não esperava nada daquele homem.

— As crises não afastam os amigos, apenas os selecionam...

Sagan engoliu em seco aquelas palavras. No passado, fora um dos grandes admiradores de Mellon, mas, no fundo, tinha inveja e ciúme jamais confessados. Aproximara-se muito da família do bilionário. Passara a frequentar semanalmente sua casa, participava de festas e jantares. Alex, seu filho, era amigo dos filhos de Mellon.

— Nunca o visitei nas Bahamas, nunca lhe escrevi uma mensagem de apoio, nunca chorei com você. Mas não fiz isso porque não tinha estrutura emocional.

Mellon já conhecia o caráter de Sagan. Sabia que supervalorizava o *status*, e não o conteúdo; o dinheiro, e não as pessoas. Um semestre antes do acidente, embora fosse seu amigo, dera-lhe um ultimato: se não cuidasse melhor da qualidade dos produtos e da vida dos funcionários, estaria fora da direção da You&Game. Sagan teve, na época, um ataque de fúria, mas, obviamente, não na frente de Mellon. Passou a tesourá-lo por trás.

— Ninguém pode dar o que não tem, Sagan — disse Mellon, mas demonstrando algo incomum, uma mágoa profunda daquele homem.

— Quero lhe agradecer as palavras que me fizeram não desistir de Alex — disse Sagan, lembrando-se de um encontro anterior em que participara secretamente das reuniões.

— Li nos jornais sobre Alex. Sinto muitíssimo pelas crianças feridas, por ele e por você. Quanto às palavras que ouviu, saiba que lhe dei apenas uma semente. Plantá-la em seu cérebro e regá-la é sua responsabilidade. Agora, responda-me com honestidade. Duas semanas antes de perder minha família, eu ia afastá-lo da empresa por causa de algumas notícias sobre a violência em alguns jogos da empresa. Você chorou, implorou, trouxe dados para me convencer de que não era verdade. Mais de três anos se passaram. E, pelo que vejo, você mentiu descaradamente.

Sagan ficou vermelho. Não sabia o que dizer. Mellon se antecipou e lhe disse:

— Você vai responder criminal e socialmente por isso.

— Não seja duro comigo, Mellon. Você é tão generoso com as pessoas! Sei que devia tê-lo ouvido, mas jamais imaginei que isso pudesse ocorrer. Não foram os jogos que causaram essa violência entre os jovens, eu lhe garanto. Estou sendo processado injustamente e também pagando um preço caro socialmente. Assim como você, eu também era invejado, aclamado. Até meus inimigos me admiravam. Tinha o mundo aos meus pés. Agora sou objeto de vergonha, as pessoas desviam seu olhar de mim. Todos os bajuladores sumiram.

Sagan sentiu na pele as palavras antes proferidas pelo Semeador de Ideias: "Melhor é ser atirado entre os leões do que entre os aduladores: os leões nos matam rapidamente; os aduladores, aos poucos". O homem que seguíamos lhe disse:

— Ninguém está plenamente seguro. A existência é uma caixa de surpresas. Num instante, somos reis, noutro, miseráveis; num, somos aplaudidos, noutro, vaiados; num, estamos gozando de plena saúde, noutro, enfermos. — Em seguida, perguntou sobre alguém que desconhecíamos: — E Roger?

— Roger? Está fazendo um bom trabalho. Mas tem seus conflitos. — Sagan parecia não estar preparado para falar do personagem e desconversou, voltando a discorrer sobre si mesmo: — Como é possível que eu, um homem justo, que sempre tentou dar o melhor de si, sofra essa desgraça? Há tantas pessoas de péssimo caráter, que mereciam passar por graves perdas e não passam. A vida é injusta.

Sagan estava completamente despreparado para os acidentes da vida. Para ele, a vida era um contrato, em que só havia ganhos e vantagens. Quando fora derrotado, reclamara drasticamente dela. Mellon, que já não era mais dominado pelo sentimento de culpa e se tornara um perito em crises, comentou com sabedoria:

— Os acidentes que sofremos são eventos da vida ou, então, consequência dos nossos atos. Nem eu, nem você, nem ninguém é injusto. Todos somos traidores.

— Traidores? — perguntou Sagan, indignado. — Eu não sou traidor.

— Pois eu sou. Traí meus filhos pelo excesso de trabalho, a mulher que amei pelas minhas preocupações, traí meu sono por atividades noturnas. Sou um traidor que tenta se reencontrar e se refazer.

Sagan ficou desconcertado. Era um traidor do mais alto nível. Traía amigos, colegas de trabalho, empresa, família, qualidade de vida; no entanto, era perfeito a seus olhos, ótimo para ver as falhas dos outros, mas não as suas. Em seguida, deu um abraço no Mestre e partiu. Nesse momento, pensei comigo: "Sagan não parece ser alguém confiável". Percebendo que o sujeito tinha um caráter duvidoso, procurei advertir o Mestre:

— Por que ajudas o corrupto?

Ele olhou para mim e usou Aristóteles para responder:

— "Tive pena do ser humano por trás do erro, e não de seu caráter". O ser humano que erra é mais importante do que seus erros. Se pensarmos o contrário, é melhor vivermos com os animais.

Recordei-me de algumas de suas primeiras palavras: "Se convivêssemos nas savanas africanas com milhares de animais, talvez nunca nos decepcionássemos com nenhum deles; mas, ao convivermos com um ser humano, por mais fascinante que seja a relação, haverá inevitavelmente decepções".

Nos dias que se seguiram, Sagan começou a frequentar nossa roda de amigos. Foi então que fiz amizade com ele. Conversamos muito sobre sua história, seus dias de glória na You&Game e sua crise. Aparentemente humilde, contou-me sobre sua ousadia, inventividade, falhas, necessidade neurótica de manipular as pessoas. O homem era assustador.

CAPÍTULO 18

O preço da honestidade

O sol deixava seu curto reinado naquele dia. Pouco a pouco, a rainha da noite, a lua, começava a reger seu espetáculo. Estávamos reunidos na rua do comércio daquela zona pobre da cidade. Consumidores munidos de cartões de crédito, ávidos por produtos, entravam e saíam das lojas.

Vendo aquela agitação toda, o Semeador de Ideias questionou o universo desses cartões, retomando um assunto que já comentara. Ele sempre enfatizava sistematicamente assuntos que o incomodavam.

— Como vocês definem uma das maiores invenções do capitalismo: o cartão de crédito? — perguntou à plateia que o seguia.

Crédito fácil, estímulo ao consumo, substituição da moeda, enfim, muitas foram as respostas. Ele deu a sua, mas com uma pitada de humor:

— Cartão de crédito pode ser definido como o dinheiro que você não tem para comprar o que você não precisa.

A plateia sorriu. Ele acrescentou:

— Claro, essa definição tem defeitos, mas tem suas inquestionáveis verdades.

Um jornalista que frequentemente participava de nossas rodas de ideias ficou intrigado. Para nossa surpresa, perguntou:

— Mas não é você um dos grandes investidores da indústria dos cartões de crédito?

Ele mexeu com o nariz, confirmou com a cabeça e não teve, como sempre, vergonha de responder:

— Sim, mas erramos.

Eu sempre ficava perplexo com a facilidade com que reconhecia suas falhas. O capitalismo tinha suas inegáveis benesses e vantagens, mas também seu evidente pacote de maldades.

— A indústria dos cartões — disse Mellon — deveria educar o consumidor, e não encorajá-lo ao consumo irresponsável. O consumo excessivo leva ao endividamento, e este aumenta a ansiedade. Ansioso, o consumidor busca em novas compras o falso alívio. Desse modo, fecha-se o perigoso ciclo que leva milhões de pessoas à falência, física e psíquica.

Um psiquiatra, seguidor eventual do Mestre, nos relatou estatísticas que nos deixaram assombrados.

— Mestre, tenho gastado um bom tempo analisando esse ciclo e percebo que é mais grave do que o senso comum consegue enxergar. No passado, os traumas da infância, como perdas, privações e frustrações, eram os grandes responsáveis pelo adoecimento psíquico. Hoje, o estresse financeiro vem ganhando uma importância vital. Tem se tornado uma das maiores causas de enfarto, transtornos emocionais, divórcios, violência doméstica, alcoolismo. Na época em que me formei na faculdade de medicina, uma em vinte pessoas desenvolvia um câncer; hoje, estamos nos aproximando da marca de uma em quatro. Uma verdadeira epidemia, e quase ninguém fala sobre isso. Não tenho como provar, mas as preocupações financeiras e a ansiedade coletiva têm sido dois dos fatores desencadeantes.

De repente, quebrando o clima de seriedade, o Prefeito entrou em cena e disse para a turma:

— Não tenho cartão de crédito. Desse mal não morro.

Seu irmão, como sempre, não perdeu a oportunidade de espetá-lo:

— Não morre, mas mata os outros, *brother*, pois vive pendurado neles.

— Caríssimo *hermano*, não me penduro nos outros, dou-lhes a oportunidade de me financiarem, é diferente.

De repente, o Semeador de Ideias olhou para os painéis de neon, para os *outdoors* iluminados e para outras propagandas que saturavam aquela zona pobre da cidade e, em vez de discursar para a plateia, levantou-se e começou a falar ao vento:

— Por que choras, humanidade? Porque tuas crianças já não andam descalças pelo chão, nem batem asas como as borboletas ansiosas pelo néctar? Porque teus jovens viciados em desejos já não sabem sonhar? Porque teus adultos não sabem avaliar e comprar aquilo que dá lucro para a saúde mental? Por que choras, humanidade?

Nesse momento, Sagan, que estava timidamente presente no grupo, entrou em ação e fez uma oferta. Trajava calça jeans e camisa listrada de gola polo. Não demonstrava ostentação.

— Mellon, gostaria de ter a oportunidade de segui-lo mais de perto. Aceita-me como discípulo?

Não gostei daquele pedido. Pareceu meio forçado. Foi uma adesão diferente da dos demais discípulos, fundamentada na espontaneidade e sensibilidade. Mellon, generoso como sempre, apenas confirmou com a cabeça, deixando claro que, se quisesse, poderia fazer parte do time dos miseráveis. No passado, fora um grande amigo; agora, quem sabe, reconstruiria o relacionamento. Éramos onze discípulos, com Sagan completaríamos doze no círculo íntimo.

Depois da inclusão de Sagan, fomos fazer uma caminhada sem mapa, sem agenda. Após algumas andanças, paramos no pequeno pátio em frente ao prédio da subprefeitura local. Dez jornalistas estavam presentes. Não vinham com câmeras de TV, apenas com blocos de anotações. O fato de o Mestre não gostar de entrevistas não queria dizer que não apreciasse o papel da imprensa. Para ele, independentemente dos excessos de alguns setores, uma sociedade só era livre se a imprensa também assim fosse.

Enquanto eu meditava sobre isso, ocorreu um incidente. Sagan entrou em crise ao ver Ana Cláudia, a jornalista que denunciara na mídia as consequências da nova série de jogos da You&Game. Parecendo querer asfixiá-la com as próprias mãos, falou com veemência:

— O que você faz aqui, seu verme? Que calúnia está preparando? — Suas palavras foram tão chulas e ditas num tom tão alto que chamou a atenção. Ficamos impressionados com a flutuação da emoção de Sagan. Num momento, mostrava serenidade, noutro, fúria; num período, humildade; noutro, soberba. Não conhecia os limites da interpretação, era um homem de verdades absolutas. Ana Cláudia respondeu assustada, mas sem perder a compostura:

— Eu também frequento eventualmente as reuniões do homem que você resolveu seguir.

— O que você está dizendo? Deixe de ser falsa, mulher! Você vilipendiou, denegriu a imagem da You&Game, a empresa da qual esse homem é o maior investidor. Você é um Judas Iscariotes de saia!

— Não sou falsa. Fui fiel à minha consciência — rebateu ela com determinação.

Sagan não aceitou sua tese. Contestou-a veementemente, esquecendo-se da atrocidade que seu filho cometera. Olhou para o Mestre e afirmou:

— Essa jornalista é uma traidora, Mellon. Perdemos dez bilhões de dólares pela irresponsabilidade de sua reportagem e toda a sequência de matérias que surgiram na esteira dela.

Sagan era um sujeito tão doente que nem sequer tinha discrição. Falava de dinheiro como um comerciante que vende bananas. Ana Cláudia ficou sem voz. Como não entendia de mercado de ações, não sabia dos números. Mellon entrou no tenso clima e tentou apaziguar os ânimos.

— Eu conheço toda a história, Sagan. Sempre lia, à luz de velas ou das fracas lâmpadas que iluminavam as ruas, os jornais abandonados. Vi os fundamentos da sua reportagem, Ana Cláudia, e quero parabenizá-la. Você prestou um grande serviço à sociedade.

— Mellon, você está louco? — Sagan, agora, se dirigia agressivamente ao homem a quem minutos antes mostrara respeito. — Somente seu fundo de investimento perdeu mais de cinco bilhões de dólares nessa brincadeira. Uma quantia tão absurdamente grande que não há cem pessoas no mundo que a possuam.

— Perder o irrelevante machuca a emoção; perder o essencial despedaça a alma. Antes de perder o irrelevante, já havia perdido o essencial. Perdas se tornaram minha especialidade, Sagan. Se queres me ensinar, ensina-me algo que eu não conheça.

Sagan engasgou, a plateia se calou. Imediatamente, o Mestre chamou um pai que o estava ouvindo e que carregava um filho no colo e, como costumava fazer, perguntou-lhe:

— Quanto vale teu filho?

Sem qualquer insegurança, o pai respondeu:

— Mais que todo o ouro do mundo!

— Então tu és riquíssimo, mesmo não tendo dinheiro — e voltou-se para Sagan, perguntando: — O que você não daria para resgatar seu filho?

— Daria tudo! — respondeu Sagan.

— Então, seu dinheiro é irrelevante. Seu filho é mais importante.

Ana se surpreendeu com as palavras do Mestre; ele semeava ideias até quando revelava sua miserabilidade. Fitando seus olhos, comentou:

— Senhor Mellon, tive muito medo de publicar a reportagem. Mas foram suas palavras, em meu primeiro contato com o senhor, que me encorajaram a publicá-la: "A vida é um grande contrato de risco. Quem tem medo de sair do casulo por causa dos riscos corre outro maior, o de sepultar a sua própria consciência".

O Mestre ficou feliz em ouvir seu relato. Em seguida, Ana Cláudia fez uma severa afirmação:

— Não estou acusando ninguém. Mas, antes de publicar a matéria, corri risco de morte por três vezes. E, depois da matéria, perdi o emprego.

O Mestre olhou para Sagan, extremamente aborrecido.

Sagan, sob incontrolável estado de ansiedade, a atacou:

— Mentirosa! Minhas mãos jamais ficaram sujas de sangue. Prove sua denúncia, ou vou processá-la mais uma vez. Você foi comprada pela concorrência — e saiu bufando de raiva, mas não foi embora. Ficou no fundo da plateia, que tinha mais de cinquenta pessoas naquele momento. Nosso grupo, que era tão tranquilo, começara a viver numa praça de guerra com a entrada daquele figurão.

O Mestre ficou condoído por Ana Cláudia. Sabia que o preço da honestidade era muito caro no templo social em que o dinheiro é deus.

— Mil desculpas, Ana. Hoje sou um maltrapilho, meu pequeno poder são minhas palavras. Mas, no que depender de mim, vou procurar reparar a dor que sofreu.

CAPÍTULO 19

O dia mais triste para os discípulos

Trinta minutos após esse episódio envolvendo Sagan e Ana Cláudia, todos nós sofremos uma dor, só que esta era irreparável. Salomão, o mais jovem discípulo, discriminado intensamente no passado pela manifestação do seu TOC (transtorno obsessivo-compulsivo), estava inquieto. Fixara seu olhar num prédio a cerca de noventa metros de nós. Pensei que essa fixação fizesse parte da sua obsessão, mas estava enganado. O Mestre não notou seu comportamento, porque estava de costas para ele. Na realidade, Salomão estava preocupado com o movimento de duas pessoas estranhas na janela do nono andar. De repente, numa atitude incomum, ele gritou, pulou sobre o Mestre e o derrubou.

Ninguém entendeu por que fizera aquilo, mas, em seguida, completamente abalados, tomamos ciência da situação. Vimos o corpo de Salomão ensanguentado, caído sobre o do Mestre. Tomados de pavor, percebemos que uma bala havia perfurado o lado direito de seu tórax e penetrado em seu pulmão, rompendo um ramo importante da artéria pulmonar. Fora alvo de uma arma silenciosa, cuja bala era para atingir o homem que seguíamos. Salomão o derrubara para protegê-lo. Ele era jovem, mas o mais singelo e prestativo.

O Mestre, ao ver o sangue jorrando do peito do seu querido discípulo, entrou em pânico. Levantou-se rapidamente, reuniu forças como um gigante, pegou Salomão em seus braços como se fosse seu próprio filho e bradou:

— Não se entregue. Por favor, não morra! Não morra, muito menos por minha causa! Eu não mereço.

As câmeras fotográficas não paravam de fotografá-lo. Imediatamente, um motorista que estava conosco naquele dia se ofereceu para levá-lo em sua velha van de transporte público. O Mestre não deixou Salomão um segundo. Com dificuldade e contando com a nossa ajuda, levou-o para o veículo. Colocamo-lo no banco de trás. Salomão, com a cabeça apoiada sobre os braços do Mestre, fazia uma expressão de dor. Tinha dificuldade de respirar, mas não sabíamos se estava ou não inconsciente.

— Não desista, Salomão! Nós vamos cuidar de você. Eu já fui baleado duas vezes — disse o Prefeito.

— Sim, você vai vencer — falou Bartolomeu, sem conseguir esconder as lágrimas. Bartolomeu e o Prefeito estavam no terceiro banco de passageiros. Eu, no da frente, ao lado do motorista, estava paralisado, não conseguia dizer nada. Torcia para chegarmos o mais rápido possível ao hospital mais próximo.

Subitamente, no meio do caminho, Salomão abriu os olhos e, com dificuldade, olhou para o Mestre e balbuciou:

— Você... foi... um pai para mim. Tirou-me... do esgoto... e me fez um ser humano!

A juventude é cruel, não aceita os diferentes. O TOC de Salomão o fazia objeto de deboche na escola, *shoppings*, ruas e avenidas. Ele também tivera sua infância roubada. Era o centro das atenções dos aniversários. Sentia-se um palhaço sem maquiagem, pelos movimentos repetidos com as mãos e com o pescoço.

— Não fale! Não fale, poupe energia! — pediu o Mestre.

Mas ele não se aquietou, precisava dizer algo antes que fechasse seus olhos para sempre.

— Não desista de... meus amigos... — E, sorrindo, disse sua famosa frase: — Os melhores dias... estão por vir... — e finalizou: — Verei... verei... seus filhos na eternidade.

— Não! Não vá, meu filho! Não vá!

Mas Salomão se foi. Não suportou a hemorragia interna. Com os pulmões encharcados de sangue, entrou em estado de choque e não conseguia respirar. Sua morte abriu uma profunda vala em todos nós. Não seríamos mais os mesmos.

No velório, na frente de todos os presentes, o Mestre falou, com a voz embargada, sobre os príncipes da sociedade, aqueles que foram surrados pelo preconceito, mas sobreviveram. Nesse momento, pediu para todos, inclusive seus poucos parentes, que contassem as passagens da história de Salomão que mais os tinham marcado. Uns falaram do seu humor; outros, da sua inteligência; e ainda outros, da sua sensibilidade. Demos algumas risadas, em meio às lágrimas, ao recordar suas peripécias. Percebemos que Salomão não morrera, um pedaço dele estava vivo dentro de cada um de nós.

— Salomão tentou proteger quem o protegeu — eu disse. — E, lembrem-se, foi o amor que motivou sua ação.

Ao ouvir minhas palavras, o Semeador de Ideias se retirou num canto do cemitério para meditar e chorar. Olhava cada túmulo demoradamente. Sabia que todos eles segredavam histórias fascinantes. A não ser uns poucos íntimos, ninguém mais delas se lembrava.

Em seguida, elevou seus olhos para o céu e comentou:

— Por que, oh, Artesão da existência, permites que as melhores flores sejam colhidas mais cedo? Por que coleciono tantas lágrimas? — Não condenou Deus, nem O considerou injusto.

Jurema se aproximou dele, preocupada que o sentimento de culpa o esmagasse novamente. Observando a angústia inscrita em suas duas perguntas quase inaudíveis, disse-lhe:

— Devemos honrar a história de Salomão. Não podemos paralisar nossa vida na sua morte, mas seguir na história que construiu conosco. Ouçamos seu clamor: os melhores dias estão por vir.

Todos dissemos a uma voz:

— Sim, os melhores dias estão por vir.

Saímos abraçados ao Mestre. Éramos uma família sem laços genéticos, mas com ternos laços afetivos. Entre nós não havia outro interesse a não ser o de contribuir com a sociedade e procurar o bem-estar um do outro.

Na manhã seguinte, o Mestre chamou alguns de nós e falou intrepidamente sobre a morte de Salomão:

— A linha entre a justiça e a vingança é quase imperceptível. Chegou o momento! Eu quero justiça.

Ao ouvir aquelas palavras, Sagan saiu, um tanto trêmulo, do meio da pequena multidão, dizendo:

— E eu vou ajudá-lo a encontrá-la...

Olhamo-nos uns para os outros, intrigados. E nos perguntamos: "Que segredos guardava esse homem? Por que se mostrava tão solícito? O executivo tão egocêntrico estava tendo alguns *flashes* de afetividade? Será que o sofrimento e o vexame social provocados pelo acidente do filho sulcaram sua emoção e o tornaram um pouco mais flexível?"

Sagan não apenas dirigia a You&Game, mas também era conselheiro do grupo Megasoft, que englobava bancos, companhia de petróleo, sistemas de comunicação, cadeia internacional de moda. Parecia que conhecia a caixa-preta do grupo. Fora um grande amigo de Mellon Lincoln. Era provável que tivesse algumas pistas sobre quem e quais os motivos por que queriam assassiná-lo.

De qualquer modo, eu e alguns amigos achamos estranho ele querer encontrar culpados logo no início da jornada com o Mestre. Dava a impressão de que era um cofre vivo. Sabe-se lá se sua vida não estava também numa situação de risco. Aos poucos, fui juntando e organizando as peças do quebra-cabeça.

CAPÍTULO 20

Um sociopata na família

Mark Sagan teve uma longa conversa com Mellon Lincoln, que, por sua vez, permitiu que apenas eu estivesse presente. Queria que alguém discreto e da sua confiança testemunhasse os fatos. E, é claro, depois eu anotava tudo. Fiquei feliz de estar presente, mas muitíssimo perturbado com o que meus ouvidos registraram.

— Desconfio de Roger. Ele quer assassiná-lo! — disse Sagan, sem meias palavras.

— Roger?— Mellon ficou surpreso.

— Não tenho provas conclusivas, mas tudo indica que sim. Desejo antigo de vingança — comentou Sagan, desconfortável.

Mellon ficou sem respiração por alguns segundos. Seu olhar estava fixo no horizonte. Depois, suspirou profundamente e nos contou os últimos diálogos que tivera com esse misterioso personagem.

Sete meses antes de perder sua família no trágico acidente de avião, Mellon havia feito um corte no time de executivos do grupo Megasoft. Despedira dez deles: dois por corrupção e oito por montarem um esquema para dar informações privilegiadas dos balanços de suas empresas para investidores comprarem ou venderem as ações do grupo, o que era proibido pelo regulamento das bolsas de valores. Quando os balanços eram muito positivos, esses investidores ganhavam de 5% a 10% do valor das ações num dia e as vendiam no outro. Alguns fizeram fortuna com essas manobras.

Entre os executivos que Mellon demitira estava Roger, seu cunhado, o único irmão de Júlia, sua esposa, dez anos mais novo. Júlia fora uma espécie de segunda mãe para Roger, pois seus pais morreram num acidente de carro quando ele tinha doze anos. Ambos, Júlia e Roger, eram filhos de pai com trauma de guerra e mãe cronicamente depressiva. Portanto, antes do acidente que os levara, a casa deles era saturada de acidentes psíquicos.

Roger, em alguns momentos, odiava seu pai; em outros, o amava. Como amor e ódio estavam muito próximos em sua personalidade, acabou tomando o pai como modelo e foi servir na guerra do Golfo Pérsico. A experiência não poderia ter sido pior para um menino que, até os doze anos, fora intensamente criticado pelo pai como um "maricas" incapaz de tomar atitude de "homem" e que se tornara um adolescente reservado, inseguro e explosivo quando frustrado.

Na guerra, o horror era um cardápio diário que nutria seu intelecto. Viu amigos feridos, mutilados e mortos por terroristas. Recolhia-os e os levava para um hospital, sabendo que dificilmente sobreviveriam e, se sobrevivessem, ficariam desfigurados. Adquiriu um ódio contumaz pelos terroristas. Tinha um prazer doentio de eliminá-los, como se fossem corpos estranhos na espécie humana, e não seres humanos. Predador e presa, por fim, tinham a mesma virulência.

Em sua caça implacável por terroristas, matou famílias inteiras de civis inocentes. Os traumas da sua infância mesclaram-se com os da guerra e produziram, pouco a pouco, um sociopata com requintes de crueldade. Mal conseguia disfarçar sua fúria explosiva. No início da guerra, tinha noites de insônia e pesadelos frequentes. Mas foi desertificando sua emoção e passou a não expressar sentimentos de culpa ou de arrependimento pelas vidas que seu tanque e seu fuzil AK-47 eliminavam, nem mesmo pelas crianças. Ele abortava pensamentos altruístas, minava seu sentimento de compaixão. Para ele, elas não amavam, não brincavam, nem sonhavam; eram apenas parte daquele inferno. Com o tempo, as zonas de conflito foram se avolumando em seu córtex cerebral e comprometendo as poucas áreas saudáveis da sua mente.

Agressividade latente, agitação mental, impulsividade, baixa tolerância à dor, humor depressivo, pessimismo, isolamento social, insônia, desejo de humilhar os colegas quando contrariado eram alguns dos sintomas da personalidade de Roger. Não bastasse isso, um mês antes de os soldados americanos saírem do Iraque, o que mais temia se materializou. Os estilhaços de um homem-bomba mutilaram sua face. Ele gritava de dor e de medo: "Não me deixem morrer! Socorro! Ajudem-me!". Não morreu, pelo menos não fisicamente.

As cirurgias plásticas tentaram disfarçar as profundas marcas e cicatrizes. No entanto, a perda de pele fora grande, e o processo de cicatrização não era eficiente. Foi para a reserva, condecorado como herói. Mas odiava ser um herói de guerra perante generais e um monstro diante da sociedade. Sua face desfigurada era o centro das atenções sociais.

— Estão me achando lindo? Servi ao seu país, seus merdas! — reagia Roger, agressivamente. Recordando a violência de seu pai, chamava os adolescentes que encaravam suas deformações de "maricas". Brigava constantemente em bares, boates e nas ruas. Foi parar na cadeia cinco vezes. Mas os policiais eram tolerantes com os traumatizados de guerra. Todavia, tinha alguns processos nas costas. Roger andava com um chapéu e uma peruca para esconder as marcas na face esquerda e no couro cabeludo.

O salário que recebia do governo não pagava um décimo de suas farras, que incluíam prostituição, uísque e drogas. Ironia do destino, um herói desprotegido. Por três vezes, quase morrera de overdose por causa de um coquetel de drogas. Misturara cocaína, alucinógenos e bebida destilada, uma bomba perfeita para explodir seu cérebro e seu coração.

Como as contas não fechavam, precisava trabalhar para completar sua renda. E quem disse que Roger se adaptava em algum emprego? Assim como Sagan, ele também era paranoico, mas num nível mais intenso. Alguém sempre estava tentando destruí-lo. Para ele, a guerra não terminara.

Júlia, como sua segunda mãe, dava generosas somas para o irmão. Aos poucos ele se especializara em chantageá-la, e ela, por ter compaixão dele, acionava sem perceber outra bomba, agora social. Júlia, amável que era, por várias vezes internou o irmão em clínicas, na tentativa de resgatá-lo do pântano dos seus conflitos. Mas Roger era dissimulado e resistente, o que levava a resultados temporários. Suplicou, então, a Mellon para lhe dar emprego. Envolvê-lo, resgatar sua autoestima, irrigar suas competências poderiam ser a solução. No começo, Mellon pensou em outras alternativas, mas, por fim, cedeu. O tempo passou, e Roger ascendeu na empresa, mais por influência familiar e manipulações sutis, e menos por mérito.

O regime de casamento de Mellon e Júlia era de comunhão parcial de bens. Tudo o que ele adquirira durante a vigência do casamento pertencia ao casal. Mellon não tinha irmãos. Sua mãe morrera quando ele tinha vinte e um anos, e seu pai, apenas seis anos depois. Seu pai lhe deixara algumas empresas combalidas, uma boa herança, mas nada comparado à fortuna da atualidade. Nos quatorze anos em que vivera com Júlia, reerguera as empresas do pai, abrira o capital delas e, uma vez capitalizado, começara a investir numa série de novas empresas, que se tornaram as preferidas das bolsas de valores. Era considerado pelo mercado um Midas; onde colocava as mãos, ganhava dinheiro. Mellon não era apenas um brilhante investidor, um especulador, mas também um excelente administrador. Grande parte das suas empresas tornou-se muito lucrativa.

Roger, indiscreto, gostava de alardear que sua irmã era uma das mulheres mais ricas do mundo. Usava o *status* da sua família para conquistar mulheres, mas, por "prazer" e pela doença, não cultivava relacionamentos estáveis. Por diversas vezes Mellon arrependera-se de colocar Roger na corporação, mas Júlia intercedia por ele. Era uma mulher hipersensível, tinha uma compaixão cega pelo irmão fisicamente mutilado e socialmente rejeitado. Roger era histriônico, teatral, caía em prantos quando as pessoas, em especial sua irmã, lhe apontavam uma falha. Fazia drama, manipulava os sentimentos daqueles que apostavam nele. Jogava pesado.

— Você não me ama! Tem vergonha de mim! — dizia Roger a Júlia, que cedia e tentava dissuadir o marido.

— Mellon, tenha paciência. Sei que ela já tem vinte e oito anos, mas ainda é um garoto.

— Um garoto que manuseou armas de fogo e sabe manejar armas emocionais. Um garoto que vende informações privilegiadas. Isso é crime, e ele está sendo investigado. — Depois, mais calmo, ele chamou Júlia de lado: — Entendo que você queira proteger seu irmão, mas pense um pouco. Você pode estar prejudicando-o. Nada garante que não esteja se drogando de novo.

Um único funcionário dava mais trabalho a Mellon do que dezenas dos milhares que trabalhavam para ele. Roger se tornara um problema insolúvel. Mas tinha seu lado cativante. Gostava de contar para os sobrinhos suas peripécias e valentia na guerra. Mellon, porém, o controlava. Pedia-lhe que falasse apenas da cultura e afetividade dos povos que conhecera. Roger, no entanto, detestava falar desse assunto. Para ele, a cultura americana era superior, o resto eram sobras.

Dias depois, Mellon descobriu que as informações privilegiadas passadas aos investidores não tinham sido um acidente de percurso, um vazamento casual ou um erro único, mas fruto de um complexo esquema operado havia mais de um ano. A relação de Roger com o grupo Megasoft ficou insuportável. Ele e todos os envolvidos teriam de ser cortados, sem acordo.

Para não causar uma ruptura na relação com Júlia, Mellon a preparou antes de despedi-lo. Prometeu que daria a Roger quinhentos mil dólares para que ele pudesse organizar sua vida, como quitar o financiamento do carro e do apartamento, e tivesse uma reserva para sobreviver pelo menos por seis meses, até achar um novo trabalho. Júlia, a contragosto, concordou. Mas pediu ao marido que o despedisse na sua própria casa, pois queria conversar com ele depois de Mellon, desejava consolá-lo. Sabia que, se não aprendesse algumas lições fundamentais na vida, Roger se autodestruiria.

Mellon, gentil, agradeceu a Roger o tempo em que trabalharam juntos. Encorajou-o a fazer cursos, especializar-se, investir em seus talentos. E, por último, falou do prêmio que lhe daria. Roger ganhava dez mil dólares mensais, muito para quem era pouco útil. Além disso, ganhava mais de trezentos mil dólares semestralmente fazendo as suas falcatruas. Mellon desconfiava que ele ganhava dinheiro sujo, via seu padrão de vida incompatível com seu salário, mas não sabia que a quantia era tão grande. O valor que Mellon lhe daria seria uma ninharia perto do que ganhara nos últimos três anos na empresa, próximo de dois milhões de dólares.

Sair do grupo Megasoft era abrir falência para quem era um consumidor de drogas, orgias, hotéis cinco estrelas, carros de corrida e, principalmente, dava festas para todos os amigos a fim de compensar seu marcante complexo de inferioridade. Para aliviar as cicatrizes da sua face, precisara de uma quantia razoável de dinheiro, mas, para as da sua alma, qualquer quantia era insuficiente. Roger, sabendo que Mellon descobrira a trama da qual era o mentor, estava desconfiado de que o cunhado tentaria mais uma vez despedi-lo. Mas, como sempre, acreditava na sua notável habilidade de manipular as pessoas. Afinal de contas, era o irmão da sócia majoritária do grupo.

— Peço que reconsidere sua atitude, Mellon — disse Roger e, aos prantos, dramatizou: — Eu me preocupo dia e noite com o seu bem-estar, com o de minha irmã e de meus sobrinhos, mas você nem se importa comigo. Você me rejeita porque sou uma pessoa mutilada. Pensa que não percebo que você me exclui? Quando me apresenta aos seus amigos, sempre o faz desconfortavelmente. Júlia me ama, assim como seus filhos, mas sou um peso para você, Mellon — e enxugava as lágrimas com as mãos.

— Você está enganado. Não o rejeito. Sempre me preocupei com seu futuro, mas os últimos acontecimentos tornaram insustentável sua permanência no grupo. Decididamente, não dá mais.

Ao ouvir essas palavras, Roger começou a perder o controle:

— Eu não errei, Mellon. Sou inocente. Fui enredado por aqueles executivos que você despediu. Sou da família! Você tem de acreditar em mim!

— Sinto muito. As investigações o comprometem. Você deve seguir seu caminho e se refazer. E Júlia, apesar de amá-lo muitíssimo, para o seu bem, apoia essa decisão.

Quando Mellon disse que Júlia apoiava sua decisão, Roger se enfureceu.

— Não acredito! Minha irmã me ama! Sabe quem sou. Sabe do meu valor e da minha honestidade. As acusações que pesam sobre mim são falsas.

Mellon era um homem ponderado, sabia reconhecer o valor das pessoas e recompensá-las. Nunca tivera um ataque de raiva diante de um funcionário nem despedira alguém sumariamente, no calor das tensões. Mas também jamais abriria mão de ser sincero. Roger admirava e, ao mesmo tempo, temia Mellon. Admirava-o por sua sensatez, sensibilidade e inteligência, e temia-o por sua grandeza. Achava que o cunhado não vivia a vida, não desfrutava do seu poder, dinheiro e prestígio. Mas Mellon e Júlia não amavam a ostentação. Eram pessoas simples. A maioria dos seus executivos aparentava ser mais rica que eles.

— Se você se diz inocente, o tempo vai mostrar. Vamos ser razoáveis. Você é parte da família. Continuará frequentando nossa casa. Nós o amamos e torcemos por você.

Roger, ao perceber que dessa vez seria riscado do mapa da Megasoft, rompeu o freio do frágil controle e teve, pela primeira vez, um ataque de fúria diante de Mellon. Foi longe demais. Ofendeu-o impiedosamente.

— Você torce por mim, seu desgraçado bilionário? Você é um crápula. Um homem asqueroso, um falso humilde. Seu deus é o dinheiro. Está vendo este rosto mutilado? — Roger tirou a peruca. — Enquanto nós morremos nas guerras, vocês se enchem de dinheiro nessa sociedade hipócrita.

Nesse momento, Júlia entrou subitamente no escritório. Estava abalada com os gritos que ouvira do irmão. Ao vê-la, ele perguntou categoricamente:

— Você concorda com a decisão desse homem?

Júlia tentou acalmá-lo, mas era impossível. Roger não raciocinava.

— Roger, querido, não parta para as ofensas. Nós amamos você. É que...

Ao sentir que sua irmã realmente concordava com Mellon, não a deixou completar o pensamento. Dominado pelo ódio, dirigiu-se a ela com estas palavras:

— Ama-me? Como? Apunhalando-me pelas costas? Preocupa-se comigo? Como? Aceitando que seu rico marido me descarte como lixo?

Mellon fez sinal para ela não falar mais nada. Não havia espaço para o diálogo, só o silêncio expressaria a sabedoria naquele ambiente irracional. Mas, tensa, ela insistiu:

— Você pode se sair melhor em outra empresa.

— Não preciso desse conforto estúpido. Você é da mesma laia que Mellon. O dinheiro a infectou, minha irmã. Você se esqueceu das suas raízes. Papai e mamãe, pelo imenso amor que tinham por mim, estão se revirando no túmulo por causa dessa injustiça.

Roger tinha o dom de triturar a emoção das pessoas e enxergar nelas os erros que estavam nele.

— Como você mudou, irmã! Que pena! — ele falou, com uma sarcástica e sonora risada. E, antes de sair, o sociopata sentenciou para seu cunhado: — Eu te destruirei, cara. Escreve isso. Eu te farei sangrar...

— Roger, você está louco? — Júlia estava assombrada.

— Sempre fui... — respondeu ele, irônico. — Sempre fui... Você não me conhece, menina.

CAPÍTULO 21

Cortando os laços familiares

Num estado de cólera incontrolável, Roger bateu violentamente a porta e partiu. Nunca mais visitou ou ligou para sua irmã, embora ela o procurasse insistentemente. Trocou de celular e ficou incomunicável. Também riscou do mapa seus sobrinhos, que, aparentemente, amava. Agia como se eles não existissem.

Quando soube da história de Roger, fiquei perplexo. Sagan, após ouvir o relato de Mellon, confirmou sua suspeita.

— Não há dúvida de que foi Roger que tentou matá-lo e que foi ele que assassinou Salomão.

Mas, até esse momento, Sagan não sabia do bilhete que denunciava o acidente de avião. Desconhecia que a família de Mellon morrera em razão de um ato terrorista.

Quando Mellon relatou as informações do bilhete, Sagan perdeu a cor, ficou ofegante e profundamente indignado.

— Roger não merece viver! A prisão para ele é um prêmio. Ele deve morrer — esbravejou furiosamente.

Angustiado pelas lembranças, Mellon lhe perguntou:

— Contei-lhe os últimos momentos que tive com Roger. E você, o que sabe que pode incriminá-lo?

— Como é do seu conhecimento, eu era amigo dele. Quando você o despediu, ele me procurou desesperado. Contou-me que você o ofendera e o humilhara. Enfim, distorceu os fatos. Tentando aplacar a ira de Roger, contratei-o como chefe da minha segurança pessoal. No fundo, tenho de confessar, pensei que ter um membro da sua família acolhido por mim me faria ganhar mais pontos diante de você e de Júlia. Até porque nossa relação estava um pouco abalada. Você já não me convidava para frequentar sua casa.

Mas havia outros motivos para estreitar os laços com Roger que Sagan não contou e que só mais tarde ficamos sabendo. Sagan não tinha nenhum amigo verdadeiro, embora grudasse em alguém quando tinha interesse. Fazia Roger contar segredos da família de Mellon Lincoln, que seriam importantes em situações de risco, em especial porque sabia que Mellon estava descontente com a maneira centralizadora e arrogante com que presidia a You&Game.

Sagan pagava o mesmo salário que Roger ganhava na Megasoft, dez mil dólares mensais, muito mais do que um chefe de segurança ganharia. Mas o preço das informações que obtinha valia a pena. Sagan e Roger bebiam juntos, farreavam juntos, elogiavam-se mutuamente. Além disso, trocavam de mulheres frequentemente; eram péssimos amantes.

Enquanto eu ouvia a história que Sagan contava a Mellon, não entendia por que ele, Sagan, dava a impressão de que atualmente temia Roger, um jovem pobre e mutilado física e emocionalmente. Mas, aos poucos, as nuvens se dissiparam. E, de perplexo, passei a ficar temeroso. Sagan continuou:

— Certa vez, Mellon, estávamos numa boate. Roger, completamente embriagado, confessou algo que me deu calafrios.

Ele me disse: "Vou ficar... rico, muito... muito rico em breve". Perguntei-lhe com ar de deboche: "Como, cara?", e Roger, com uma voz pastosa, respondeu: "Basta... fazer o... que fui treinado". E fez um gesto com a mão direita, como se estivesse puxando uma arma, e um sinal de explosão com a boca. "Quem você vai matar, seu maricas?", eu retruquei, pensando se tratar de uma piada. Mas ele se enraiveceu. Aos gritos, disse: "Não me chame de maricas se quiser continuar vivo!", e depois, mais calmo, falou: "Seu patrão e seus queridinhos!".

Sagan continuou sua abordagem. Contou-nos que, embora estivesse com várias doses de uísque na cabeça, arregalara os olhos, mas Roger o tranquilizara, dizendo: "Brincadeira, cara", e caíra na risada. Passados cinco dias, Roger sumira, deixara o serviço de segurança, no qual tinha trabalhado por pouco mais de dois meses. Nunca mais tiveram contato, até o acidente de avião.

Ao ouvir aquele relato, o Mestre pegou Sagan pela gola da camisa.

— Você me chamava de melhor amigo. Como pôde saber de tudo isso sem me avisar? Você é um traidor!

Tenso e trêmulo, Sagan tentou se explicar:

— Mellon, quem poderia imaginar que Roger praticasse um ato terrorista contra sua própria família? Isso jamais passou pela minha cabeça. Além disso, você e sua família tinham um forte esquema de segurança. Dia e noite eram monitorados. Para mim, estavam protegidos — e completou: — Roger é louco. Temi que ele tentasse me matar se o incriminasse sem provas. Alguém que matou mulheres e crianças numa guerra é capaz de tudo.

Nesse momento, Mellon perguntou:

— E a fundação?

Sagan respirou profundamente e lhe disse:

— Roger rasgou os documentos. Ele é hoje o presidente do grupo.

Mellon gelou, mas, pelo que acontecera, já esperava isso. Indignado, perguntou:

— Como ele conseguiu?

— Você lhe deu plenos direitos por meio de uma procuração.

— Como? Que procuração é essa? Não me lembro de nenhuma procuração. — Ele fez uma pausa e, em seguida, afirmou: — Meu Deus, a que ponto um ser humano pode chegar quando adora o dinheiro!?

Depois desses relatos, senti vertigens. Não conseguia ficar em pé. Sentei-me no parapeito de uma mureta para me apoiar. Se eles eram angustiantes demais para eu suportar, imagino como estava o Semeador de Ideias naquele momento. Ele ouvia tudo com os olhos cheios de lágrimas. Mais uma vez, o mundo desabava sobre sua cabeça, mais uma vez lhe faltava o oxigênio da liberdade para respirar e, mais uma vez, teve asco de sua grandeza.

CAPÍTULO 22

Ligações perigosas

Sempre tive prazer em escrever sobre a inteligência, as aventuras e as teses de Mellon Lincoln, tanto como Vendedor de Sonhos quanto como Semeador de Ideias. Mas é uma árdua tarefa escrever sobre ele como Colecionador de Lágrimas.

Após se despedir de sua família na sala de embarque, Mellon foi para a reunião urgente na sede da Megasoft, que estava sendo realizada por videoconferência. Foram mais de cinco horas de debates e grandes decisões sobre sua companhia de petróleo. Participavam vinte e sete pessoas virtualmente, de cinco nações, além de doze executivos presentes fisicamente. No final da reunião, todos estavam fatigados, mas ainda não podiam ser interrompidos. De repente, um telefonema de Elizabeth, a secretária executiva, invadiu o espaço, algo incomum para uma secretária eficiente. Com a voz embargada, pediu que Mellon atendesse a linha. Cinco segundos levaram seu cérebro à pior crise da sua história. Em estado de pânico, o equilibrado Mellon Lincoln soltou um brado que abalou todos os participantes.

— Não! Não! Não é possível!

Seguranças e executivos tentavam, ansiosos, saber o que se passava. Mas, chocado, ele nada disse. Pegou imediatamente o controle da imensa TV do escritório e colocou no canal de notícias, que anunciava, ininterruptamente, um acidente de avião. O telefonema que recebera era do diretor da companhia aérea, uma de suas empresas. Não havia dúvida: era o voo em que estava sua família.

Em estado de desespero, ninguém sabia como reagir nem o que falar. Informações da torre de controle do aeroporto, da TV, das agências de notícias e do serviço de segurança da Megasoft começaram a chegar e penetrar sua mente. Parecia que Mellon enlouqueceria. Queria dados a cada minuto. Sua família partira de Nova York para conhecer a belíssima Floresta Amazônica, na América do Sul, cuja maior parte ficava no Brasil. Confirmou-se que o acidente ocorrera em local inóspito, entre a Colômbia e a Venezuela, um lugar praticamente inacessível, de relevo montanhoso. As notícias foram diluindo a esperança de Mellon e dando lugar a uma dramática crise depressiva.

Os últimos diálogos com seus filhos e sua esposa marcaram sua alma como fogo que produz cicatrizes na pele. Sentia-se culpado porque adiara a viagem e, no dia em que a remarcara, outro compromisso o impedira de embarcar. Como o avião era da sua companhia aérea, perturbava-se por não ter exigido uma manutenção adequada e por não ter escalado um piloto mais bem treinado. Tudo era motivo para se culpar.

Inconformado e profundamente deprimido, foi levado para casa e de lá recebia a avalanche de informações do acidente. Centenas de pessoas desejavam vê-lo, mas, angustiado, não queria receber visitas nem conversar com ninguém. Era impossível consolar um homem inteligente, que perdera tudo o que mais amava. Às duas da madrugada, doze horas após o acidente, só estavam presentes os funcionários e os seguranças. Roger, como membro da família, apareceu e chorou compulsivamente pela morte da irmã e dos sobrinhos. Mellon, completamente sem forças, o recebeu. Roger dizia teatralmente:

— O que eu fiz! Sou culpado! Não cuidei da minha irmã e dos meus sobrinhos. — E esmurrava a parede desesperadamente, abraçava Mellon e tentava confortá-lo: — Mellon, eles estão vivos. Não desanime! Vamos encontrá-los. Jamais vi um pai amoroso como você.

Uma hora depois, Roger insistiu que o cunhado precisava descansar a fim de ter forças para comandar a busca dos sobreviventes no dia seguinte. Pegou um copo de água e lhe deu um tranquilizante, dizendo que o tomasse, porque lhe faria bem. Mellon, deprimido e chorando compulsivamente, tomou. Só que, junto com o medicamento, Roger colocara um alucinógeno com o qual se drogava. Minutos depois, Mellon começou a perder os parâmetros da realidade, rompeu com a lógica da razão, foi assombrado por visões bizarras. Como estudava filosofia grega, mesclou a fantasia com a realidade. Via monstros mitológicos querendo devorar sua carne. Ao mesmo tempo, os monstros o acusavam: "Culpado! Culpado! Você matou seus filhos!". Ele tentava fugir daquelas imagens, recolhia-se num canto do seu imenso quarto e bradava:

— Não! Não! Deixem-me em paz!

Todas as pessoas próximas ficaram perplexas com as reações de Mellon. E Roger aproveitava para manifestar seu incondicional apoio a ele. Sutilmente, continuava a lhe administrar a droga. Agora era mais fácil, pois seu cunhado perdera a capacidade de decidir.

No dia seguinte, o processo macabro continuou. Roger, para se esquivar da culpa, chamou uma equipe de médicos do hospital da fundação que levava o nome do pai de Mellon. A equipe, que raramente tinha contato com o multimilionário, constatou a confusão mental. O homem lúcido, perspicaz, coerente estava completamente desorganizado mentalmente. Era a segunda noite após o acidente. Temendo que se autodestruísse, um médico psiquiatra da equipe ministrou um antipsicótico, um potente tranquilizante. Ao mesmo tempo, Mellon, mesmo transtornado, continuava a ser informado sobre o acidente. As notícias não eram reconfortantes.

Roger se fixava no cunhado, procurava estar ao seu lado o tempo todo. Mellon pedia para ele ir embora, nos poucos momentos em que estava mais lúcido. Mas Roger dizia que o amava e tinha o dever de cuidar dele. Como era perito em manipular pessoas, demonstrava a todos, em especial à equipe médica, que era o mais fiel dos parentes. Embora houvesse enfermeiras dando assistência a Mellon, ele cuidava pessoalmente dos medicamentos a serem administrados. Mentiroso, dizia que atuara como enfermeiro na guerra. O psicopata queria matá-lo, colocava selos com alucinógenos debaixo da língua dele, bem como um coquetel de drogas junto com os medicamentos. As alucinações e a confusão mental do cunhado pioravam.

Os dias se passavam. A equipe médica fizera o diagnóstico de psicose pós-traumática e internara Mellon por alguns dias num hospital, contra a vontade de Roger. O cunhado frequentava a clínica e continuava drogando Mellon, mas estava perdendo o controle da situação. Então usou uma estratégia: na frente de Mellon, ameaçou os médicos, dizendo que eles estavam querendo matá-lo.

— Vocês querem matar Mellon. Ele é um pai para mim. Não é um doente mental. — Exigiu que o liberassem para que voltasse à sua casa, onde seria tratado como ser humano.

Ao mesmo tempo que dopava Mellon, Roger começou a trocar os seguranças, os médicos e os enfermeiros que o assistiam. Colocou gente de sua confiança. Pagava-os a peso de ouro, comprando assim seu silêncio. Como Roger demonstrava ser generoso e superdedicado a Mellon, todos fizeram vista grossa, embora não soubessem exatamente o que estava acontecendo. Com exceção do novo enfermeiro-chefe, Nícolas, que, como Roger, era dependente de drogas e estivera na guerra. Ele vivera em estado de penúria até ser chamado para o serviço.

Nícolas passou a ministrar tranquilizantes de ação prolongada, por via intramuscular, que faziam efeito durante trinta dias. Garantia assim o controle mental de Mellon. Todos levavam notáveis vantagens com seu enfraquecimento psíquico. Roger filtrava as visitas e as informações do acidente. Dizia que infelizmente não houvera sobreviventes, o avião pegara fogo, o local era inacessível. Mellon chorava, sem lágrimas, a cada informação.

Seu cérebro parecia que ia explodir com as drogas que tomava. Não tinha capacidade de reação, não conseguia questionar, escolher, retomar a consciência de si mesmo. Vendo seu cunhado definhar, Roger, certa noite, teve um pesadelo que o assombrou. Sonhou que Mellon morrera; os exames que se seguiram à autópsia constataram morte por overdose de várias substâncias e ele, Roger, era o culpado. Acordou ofegante.

Um psicopata é um ser de muitas loucuras. Supersticioso ao extremo, resolveu diminuir as doses do coquetel, propiciando alguns momentos de breve lucidez para o cunhado. Num desses momentos, Mellon confessou que a vida perdera totalmente o sentido e que concretizaria o desejo que estava sendo construído antes do acidente: dar grande parte das suas ações no grupo para uma fundação. Diante disso, bem como pelo medo de ser preso por assassinato, Roger desenhou seu inumano plano B.

Mellon pedira a Roger que chamasse três executivos da *holding* Megasoft — empresa que agregava, sob seu guarda-chuva, vinte e três outras —, entre eles Mark Sagan, na condição de conselheiro do grupo. Aconteceu, então, a primeira reunião, mas o raciocínio de Mellon estava comprometido. Com dificuldade, ele descreveu para o pequeno grupo de executivos o projeto da fundação.

— Antes de... perder... Júlia... Julieta... e Fernando... — Ele começou a chorar novamente. Sua musculatura estava rígida devido ao efeito colateral das drogas antipsicóticas. — ... eu queria fazer essa fundação para ajudar... países subsaarianos... e a formação de uma juventude mundial que pensasse como espécie... O maior imposto que as... grandes fortunas devem... pagar não é o que é cobrado pelo governo, mas pela... nossa consciência.

Mellon estava revelando um segredo, mas seus amigos achavam que ele estava confuso. "Pensar como espécie? Que ideia é essa?", indagavam-se. De fato, faltava clareza em seu raciocínio, mas não eram fruto de impulso. As últimas palavras aos seus filhos e esposa, dizendo que em breve se surpreenderiam e que teriam mais a sua presença, indicavam que estava pensando na fundação. Júlia concordava com suas intenções, embora resistisse a crer que seu marido conseguisse deixar de ser uma máquina de trabalhar.

Ele já havia pedido a um grupo de advogados da Megasoft, especialistas em direito empresarial, que esboçassem sigilosamente o contrato para a fundação. Era um contrato juridicamente complicado. Já tinha visto e revisto duas vezes o esboço. E assim o desenhou: 40% dos lucros das empresas da fundação seriam investidos em saúde e técnicas agrícolas sustentáveis nos países da África Subsaariana, que era o principal bolsão de fome e miséria social do planeta; 20%, na educação de jovens humanistas, nas mais diversas nações; 10% seriam distribuídos a todos os funcionários; e 30% reinvestidos no próprio grupo, para que sobrevivesse.

Roger aplaudiu a fundação na presença de Mellon e dos executivos. Parecia um homem desprendido de dinheiro, um extraordinário filantropo. Um dos executivos ponderou que Mellon deveria tomar essa atitude numa situação mais tranquila, mas ele, mesmo parcialmente confuso, insistiu no projeto. Queria, afinal, que toda a energia que despendera até então fosse utilizada para aliviar a dor dos outros. Teria uma reserva apenas para sobreviver. Desejava, depois disso, ir para sua casa nas Bahamas para pensar, se reencontrar e esquecer que um dia fora um homem que dera o mundo para seus filhos, mas não lhes dera seu próprio mundo. Depois de idas e vindas, os executivos levaram documentos e mais documentos para Mellon assinar. A Megasoft viraria águas passadas.

Após saírem do quarto, Roger, num ato impulsivo, rasgou os contratos agressivamente na frente dos executivos. E disse, categoricamente, que um doente mental não podia tomar decisões que colocassem em risco a vida de milhares de famílias. Comentou que essa fundação poderia prejudicar acionistas minoritários, ser questionada judicialmente.

— Todos vocês serão processados. Todos irão para a cadeia se concordarem com isso.

Em seguida, demonstrou afeto pelo cunhado, chorou por ele, por sua irmã e pelas crianças. Momentos depois, mostrou a todos uma procuração assinada por Mellon, pela qual ele era seu legítimo procurador. Uma procuração arrancada sob altas doses de medicação. Mellon nem sabia o que estava assinando, mas fora reconhecida em cartório por uma boa quantia de dinheiro.

Roger disse aos executivos que honraria a memória da sua irmã, cuidaria com dignidade da fortuna dela e de Mellon até que ele se restabelecesse.

— Eu amo Mellon como um pai e irmão. Ele me ajudou muitíssimo. Agora é tempo de lhe retribuir o que fez por mim. Passou-se quase um mês do acidente, e ele continua perturbado. Infelizmente, tenho laudos de alguns psiquiatras que comentam que a psicose dele poderá mutilá-lo mentalmente de maneira irreversível. — Mostrou dois laudos e acrescentou: — Discordei e até briguei com esses psiquiatras. Disse-lhes que Mellon é muito inteligente e que ele se restabeleceria nas Bahamas.

Vendo os executivos titubeantes, Roger disse que, sob sua direção, eles seriam recompensados muito mais do que nos tempos de Mellon.

— Cem milhões de dólares para cada um que estiver comigo nessa grande empreitada. Não os estou corrompendo, mas gratificando-os por estarem ao meu lado como brilhantes administradores.

Rapidamente, Sagan tomou a dianteira:

— Em respeito ao meu amigo Mellon Lincoln, conte comigo.

Todo ser humano cuja consciência está à venda tem seu preço. Seduzidos pelo dinheiro, preocupados com o futuro do grupo e ameaçados por um jovem disposto a tudo, os executivos resolveram apostar em Roger. Afinal de contas, se Mellon recuperasse seu equilíbrio psíquico, retomaria sua agenda e doaria seus bens para quem bem entendesse. Mas já não lhes interessava tanto sua recuperação, pois era difícil conviver com alguém honestíssimo, que sabia cobrar responsabilidades.

Roger enviou Mellon, com Nícolas, às Bahamas. Nícolas contratou mais dois enfermeiros para ajudá-lo, mas só ele administrava a medicação. Continuava entorpecendo o cérebro de Mellon, ao preço de quarenta mil dólares por mês. Levava-o ao psiquiatra local e, como sempre, mudava suas prescrições.

O fantasma de Mellon volta e meia perturbava o sono de Roger, que acordava em pânico, ofegante, ansioso, fazendo-o aumentar as doses de pílulas para enfrentar o dia. Como as ideias de perseguição rondavam sua mente e ele não tinha escrúpulos, ao assumir o poder expurgara pouco a pouco do grupo os executivos que eram suspeitos ou que questionavam suas atitudes.

Perito em corrupção, comprara auditores do grupo Megasoft, maquiara balanços e desviara quantias exorbitantes para sua conta particular. Além disso, ganhava enormes comissões nas licitações fraudulentas das empresas, em especial da petroleira do grupo.

Roger tinha trinta seguranças que o protegiam vinte e quatro horas por dia. Cinco deles estavam disfarçados nas Bahamas, vigiando o deprimido Mellon. Dependendo dos seus movimentos, seria eliminado. E só não havia sido ainda assassinado porque Roger continuava tendo pesadelos de que seria o principal acusado. Era um assassino sem escrúpulo, frio, mas não estúpido. Não ficaria bem para a imagem de um multimilionário ser investigado. Aliás, já pairavam diversas dúvidas sobre ele, que seguia eliminando, sutil e cruelmente, os que dele duvidavam.

Um executivo, ao ser despedido, lhe disse, na cara:

— Você destruiu Mellon Lincoln.

Roger o agrediu fisicamente. Uma semana depois, o executivo morreu num acidente. Pelas dúvidas que o assombravam, Roger considerava que era melhor manter Mellon como um morto-vivo.

CAPÍTULO 23

Marcado para morrer

Em sua casa de veraneio nas Bahamas, Mellon tinha um amigo, Pacheco Badenes, seu jardineiro, um imigrante mexicano. Lá, já não lhe administravam alucinógenos, mas continuava a receber potentes tranquilizantes de ação prolongada, por via intramuscular. A medicação o isolava em casa. No máximo, fazia caminhadas nos jardins. Comia, bebia e dormia. Parecia um zumbi, um boneco de presépio. Mas, com a ajuda de Pacheco, começou a recusar a medicação injetável e exigi-la por via oral.

Depois de insistir meses com Nícolas, o "psicótico" venceu a batalha. E, quando a venceu, pouco a pouco começou a enganar o próprio Nícolas, fingindo tomar o medicamento. Colocava-o debaixo da língua e o cuspia. A ausência do medicamento aumentava a consciência da perda dos filhos e de Júlia, exacerbando os níveis de ansiedade e depressão. Para se acalmar, Mellon mergulhava na imensa biblioteca da casa.

Sempre amara a leitura, mas, ali, devorava os livros. Como demonstrava brandura, docilidade, Nícolas começou a lhe dar mais liberdade, mas às escondidas de Roger. Era menos desgastante, para ele e para os demais enfermeiros, que Mellon estivesse melhor, fosse autônomo, pelo menos não tinham de carregá-lo ou levá-lo para fazer suas necessidades. Roger não o visitou sequer uma vez, mas recebia fotos e relatórios, dia sim, dia não, sobre o estado mental de Mellon. Não confiava plenamente em Nícolas; aliás, não confiava em ninguém. Por isso, além dos relatos da enfermagem, recebia-os também dos seguranças.

À medida que Mellon apresentava melhoras, Roger piorava.

— Deem-lhe mais drogas, mais drogas — ordenava ele sistematicamente a Nícolas.

Roger era um sociopata, não conseguia conviver em sociedade sem colocá-la em risco, e, para completar sua insanidade, era também um psicopata, que continuava ferindo e destruindo pessoas a seu redor e sem sentir a dor delas. Ele não era capaz de se interiorizar, meditar, refletir, pois, se o fizesse, se deprimiria pelas consequências dos seus atos. Tinha de ficar na superfície da sua inteligência, viver sob o manto dos seus instintos.

Sua neurose paranoica piorava dia a dia, assumindo contornos de uma psicose. Deixava de desconfiar das pessoas para ter plena convicção de que estava sendo alvo de constantes tramas. Sua mente se deteriorava. Sob a aura dos delírios, ouvia vozes e acreditava nelas. Sentia-se frequentemente observado, perseguido, sob a mira dos outros. Não poucas vezes, acordava em crise no meio da noite, fantasiando policiais em seu encalço, com ordem de prisão. À medida que sua paranoia o dominava, criava mais inimigos e os perseguia. Como um Stalin, expandia seus expurgos. Viver com ele tornara-se insuportável; trabalhar com ele, intolerável.

Humilhar, ofender, maltratar: era esse seu cardápio quase diário. Paralelamente, afundava-se cada vez mais nas drogas e no álcool. Seu raciocínio fragmentado comprometia o gerenciamento dos seus comportamentos e do grupo Megasoft. Tornara-se um fantoche. O grupo era dirigido por pessoas da sua confiança, até que não caíssem em desgraça. Mas tudo isso se passava na sede do grupo. Os funcionários das empresas locais e seus executivos eram poupados das loucuras de Roger; apenas recebiam notícias do inferno que se passava na sede.

Um fato novo perturbou mais ainda a mente de Roger. Recebeu um relatório dos seguranças dizendo que Mellon ameaçava sair das Bahamas. Diante daquela informação, Roger começou a manifestar uma estranha flutuação emocional. Ficava depressivo em alguns momentos e eufórico em outros. Depressivo, porque se sentia ameaçado. Eufórico, porque chegara o momento de tomar a grande decisão, aquela que, segundo ele, havia tempos deveria ter tomado: eliminar Mellon. Como todo sociopata, Roger tinha a falsa ideia de que seus inimigos estavam fora dele. Eliminando-os, viveria em céu de brigadeiro. Desconhecia que seus inimigos eram intermináveis, nasciam e renasciam da sua imaginação doentia. Sua mente era uma fonte inesgotável de figuras fantasmagóricas.

Planejou com seus capangas à paisana uma explosão noturna na tubulação de gás, seguida de incêndio. "Cinco milhões de dólares!", os homens cobraram pelo serviço. Roger mostrou-se indignado pelo preço. Mas a quantia era irrisória perto da sua conta bancária.

Retirou os enfermeiros do local, mas não os avisou da trama. Nícolas, em especial, receberia uma excelente premiação, mas achou estranho o comportamento dos seguranças. Começou a questioná-los. Roger sabia, havia tempos, que Nícolas estava sendo cativado pelo afetivo Mellon. Outro enfermeiro, antes de partir, colocara tranquilizantes em doses altas no suco que Mellon tomaria. Naquele momento, ele estava lendo um livro sobre os sofistas gregos. Desconfiado, tomou um pouco e se desfez do resto do suco, disfarçadamente. Atirou-o no vaso de tulipas brancas na varanda da casa. Embora fatigado e com voz mais lenta que o normal, devido ao remédio que tomara, Mellon chamou Pacheco e lhe disse:

— Meu bom amigo, é tempo de partir. Muitos contemplam as flores, mas nunca sujam suas mãos para plantá-las. Você as sujou. Obrigado por seu cuidado. Esta casa é meu presente para você, pela sua generosidade.

— Senhor Mellon, eu não teria coragem de viver se sofresse as perdas que o senhor sofreu. O senhor é um plantador de flores na alma humana. O que fiz foi desprendido de outras intenções. Não posso aceitar sua casa.

— Bem sei, por isso a merece. Me encarregarei de lhe enviar a escritura. — Nesse momento, Mellon fez um gesto único: retirou do dedo o inseparável anel de ouro com as faces de duas crianças, que simbolizavam seus filhos, e que Júlia lhe dera de presente de casamento. — Ele lhe pertence.

— Mas, senhor, foi a mulher que amou quem lhe deu.

— Sim. Por ela, lhe dou. Hoje, tenho certeza de que, se Júlia estivesse, me diria que começasse um novo capítulo na minha história. É o que farei.

Eram cinco horas da tarde, horário de Pacheco ir embora. Ele foi, mas, por causa da decisão de Mellon, retornou discretamente à noite, para ajudá-lo a fugir.

Mellon não desconfiava de Roger até aquele momento. Só nos últimos dias achara suspeitas as atitudes de algumas pessoas, que queriam aumentar a dose de medicamentos para controlá-lo. Até então, pensava que sua fortuna pertencia à fundação que constituíra e que muito pouco lhe sobrara financeiramente.

Não tinha mais *status*, prestígio social, poder político, influência mundial. Era um ser humano, nada mais. Nesse novo capítulo, desejou reencontrar-se consigo mesmo e conhecer os porões do próprio ser. Sonhou em ser útil para a humanidade, simplesmente pelo que era. Enquanto planejava voltar para seu país, dizia múltiplas vezes para si:

— A morte me tirou tudo o que mais amo. Detesto-a. Mas, enquanto ela gritar aos meus ouvidos "Você é apenas um mortal", e eu, encenando a peça existencial no teatro do tempo, conseguir ouvi-la, jamais deixarei de ser um pequeno ator, serei sempre um eterno aprendiz.

Com a ajuda de Pacheco, Mellon partiria naquela mesma noite. O velho jardineiro achou estranha a falta de movimentação da casa, mas não comentou nada com Mellon enquanto conversavam e se despediam, para não inibi-lo em sua fuga. De repente, houve uma explosão, seguida de um incêndio. Mellon conseguiu escapar, mas Pacheco foi vitimado. Horas depois, temendo ser incriminados, os assassinos apenas fizeram uma rápida identificação do corpo pelo anel. Para eles e para Roger, Mellon Lincoln morrera carbonizado.

Foi assim que o "fantasma" Mellon voltou para a grande metrópole na pele de um maltrapilho. Saiu sem endereço, bússola, mapa ou roteiro. Tornou-se um andarilho no planeta físico e um caminhante no planeta psíquico.

CAPÍTULO 24

Um psicopata na cadeia

Tempos depois, quando a sofisticada rede clandestina de informação de Roger indicou que Mellon, provavelmente, estava vivo, sua paranoia se expandiu ainda mais e sua ansiedade foi às alturas. Desesperado, encomendou seu assassinato, mesmo sem ter certeza de que o maltrapilho era Mellon Lincoln. Várias tentativas frustradas ocorreram.

Nas últimas semanas, Roger só dormia à base de doses elevadas de ansiolíticos. Mesmo assim, acordava no meio da noite em estado de pânico. Seus pesadelos eram tão reais que ouvia a voz de Mellon chamando-o. Tinha alucinações e se via mofando atrás das grades. Roger estava tão debilitado mentalmente que em alguns momentos lutava contra as próprias alucinações.

— Eu te mato com minhas mãos, Mellon! — gritava para as imagens bizarras que via.

No último mês de caminhada de Mellon com seus discípulos, Roger ou alguns dos seus emissários estiveram presentes às escondidas. As palavras que ouvia ou o que lhe relatavam a respeito do Semeador de Ideias o deixavam abismado. Ele agredia os funcionários da casa de Mellon, onde morava, e achava que eles sabiam que o patrão queria voltar. Depois, arrependia-se e lhes dava dinheiro para calarem a boca. Começou a ter tiques nervosos acentuados. Arrancava os cabelos, tirava os pelos dos braços. Perturbado, misturava bebidas alcoólicas e indutores de sono para dormir. Cada vez mais detonava seu cérebro debilitado. Grande parte dessas informações estava relatada na agenda de Roger, guardada a sete chaves. Era um gênio do mal. Escrevera algumas de suas atrocidades com requinte de crueldade. Pela dor ou pelo amor, queria ser uma celebridade.

Enquanto isso, a longa conversa e as dramáticas e surpreendentes revelações de Mark Sagan mexeram com as raízes da emoção de Mellon Lincoln. Estava perplexo, e eu idem. Num ímpeto, o Mestre pediu emprestado o celular de Sagan e fez uma ligação. Eu e Sagan cruzamos nossos olhares diante do diálogo incompreensível com a pessoa do outro lado da linha. Mellon disse:

— Código Falcão Negro. Código Falcão Negro.

Aquelas palavras pareciam ter gerado uma correria do outro lado da linha. Alguém graúdo atendeu. E ele repetiu com ênfase:

— Código Falcão Negro. Número 40, 77, 56, 24. Quero, com urgência, a conclusão do relatório que pedi.

— Relatório? — pensei alto. Não parecia o maltrapilho que eu seguia, mas o poderoso homem que sempre fora.

Só mais tarde soube que, um dia depois do indescritível debate com Deus naquela praça, quando ainda estava internado no hospital como um indigente, ele acionara uma das mais complexas empresas de segurança, a Ômega. O código de segurança que usara era utilizado por governos que também recorriam aos serviços da Ômega e, ainda assim, em situações muito especiais. Era uma empresa de sua propriedade, mas, por ser secreta e prestar serviços de segurança nacional, não podia ser colocada em sua fundação. Estava sob a tutela do governo federal. Roger não tinha ideia da existência dessa empresa, muito menos Sagan.

Após falar o código, deu as coordenadas de um campo esportivo, um gramado em que meninos pobres brincavam, a três quadras de onde nos encontrávamos. Não disse mais nada. Foi até o local, e nós o acompanhamos. Ao chegar ao campo, esperávamos que algum carro ou uma velha van viesse buscá-lo.

Minutos depois, três enormes helicópteros sobrevoavam o espaço, fazendo um barulho ensurdecedor e deixando revoltos nossos cabelos já rebeldes. Cada helicóptero possuía dois motores independentes e tinha piloto e copiloto. Eram espaçosos, pareciam aeronaves militares, com dezesseis lugares. Pertenciam à Ômega.

O Mestre se virou para os discípulos, abraçou-os um a um, beijou-os no rosto, como um pai que se despedia dos filhos. Aproximou-se de Mônica e lhe deu um beijo prolongado no rosto. Desconfiávamos que os dois estavam nutrindo mais do que admiração um pelo outro. E a professora Jurema torcia por esse romance. Achava que Mellon tinha de resolver sua angústia fundamental: a solidão.

— Mestre, não nos deixe — disseram o Prefeito e Bartolomeu.

— Voltarei. Não sei quando, mas voltarei.

O serviço de segurança, sob o patrocínio da Justiça, havia quebrado o sigilo telefônico de Roger, colocado escuta em sua sala e em seu carro e microcâmeras na casa de Mellon. Como Roger estava mentalmente doente, deixara pistas em vários lugares: nas reuniões clandestinas, nos telefonemas subliminares, nos pagamentos exorbitantes a terceiros. A conclusão da Ômega não deixava dúvidas: Roger era o protagonista do crime. Tramara o ato terrorista usando mercenários que conhecera na guerra, homens dispostos a tudo por dinheiro.

A prova mais contundente acontecera no dia em que Salomão morrera. Os atiradores de elite comunicaram imediatamente a Roger:

— Eliminamos o homem.

— Têm certeza? — questionara Roger, desconfiado.

— Sim, o serviço está feito.

Mas haviam abatido o alvo errado.

Entraram no helicóptero Mellon e Sagan. De repente, antes de a porta fechar, Mellon me pediu que subisse. E mais uma vez estava eu, um simples professor de sociologia, entre aqueles poderosos homens. Sagan, trêmulo, num ataque de raiva contra Roger, disse, inconformado:

— Como pode alguém assassinar a família? Mate-o!

Mellon pediu que Sagan ficasse em silêncio. Em seguida, um dos chefes da sua empresa de segurança, que levava os documentos que comprovavam ser Roger o mentor da trama, disse:

— Senhor, esse psicopata não merece estar vivo. Podemos eliminá-lo antes da ordem de prisão. Basta um sinal seu. Ele tem muitos inimigos, inclusive alguns empregados juraram matá-lo. Será fácil dissimular o assassinato.

— Não! Em hipótese alguma.

Sagan interferiu, chamando-o pela primeira vez de Mestre:

— Mestre, ele destruiu Júlia, Fernando e Julieta, seus tesouros. Assassinou também mais de uma centena de inocentes no trágico acidente aéreo. Matou um de seus discípulos. Não aja com compaixão, elimine esse verme da Terra.

O Mestre olhou bem nos olhos de Sagan.

— Se eu não souber a diferença entre justiça e vingança, beberei da mesma fonte dos assassinos. Não, jamais! Além disso, a morte é um prêmio para os psicopatas.

De posse das provas, o serviço secreto da Ômega acionara a Justiça, que imediatamente emitira uma ordem de prisão contra Roger. O gigante caíra da torre da sua majestade para o inferno social. Mellon acompanhou o desfecho. Entrou na casa com os policiais, que iam na frente. Convidou-me para ir com ele, mas não permitiu que Sagan fosse conosco. No entanto, visivelmente transtornado, o empresário insistiu em entrar. Disse que Roger era perigoso, mentiroso, caluniador, acusaria pessoas inocentes para se livrar da sua culpa, porém, Mellon lhe disse:

— Não se preocupe, eu o conheço.

Enquanto entrava nas dependências da imensa casa, os funcionários ficaram impressionados com a figura do maltrapilho. Sabiam dos boatos sobre ele, mas era difícil crer que estivesse naquelas condições. Todavia, ficaram felicíssimos ao vê-lo. Começaram a aplaudi-lo enquanto ele passava. Ao receber a ordem de prisão, Roger reagiu violentamente:

— Não toquem em mim! Vocês sabem quem sou? Sou um dos homens mais poderosos desta nação!

Os seguranças de Roger não reagiram ao mandato de prisão. Não suportavam mais o paranoico, que uivava como um lobo ameaçado. Foram necessários três policiais para algemá-lo. Quando percebeu que usar o poder não funcionaria, ofereceu, sem titubear, um milhão de dólares para eles. Os policiais não responderam. Ao ver que não conseguiria suborná-los, gritou com fúria:

— Eu lutei na guerra por vocês, seus crápulas. Vou acabar com sua raça, seus miseráveis.

De repente, o psicopata viu Mellon. Por alguns instantes, ficou paralisado, mudo, sem ação. Mellon assistia à sua prisão, a prisão do homem que matara sua família, mas nada aliviava sua dor. Ao vê-lo, Roger começou a chorar, mudou o tom de voz e se comportou como uma criança. Mas, naquele momento, não estava manipulando, apenas manifestando sua doença.

— Mellon! Mellon, eu o amo, você é o que restou da minha família. Olhe o que estão fazendo comigo.

Mellon permaneceu em silêncio. Imagens dos seus filhos passavam em sua cabeça, e seus olhos se encheram de lágrimas. Perdera tudo, sobrara o resto. Até fazer justiça eram sobras.

— Mellon, peça para eles me libertarem. Diga-lhes que não cometi crime algum.

Percebendo seu silêncio e sabendo que seria condenado à prisão perpétua, mofaria na prisão, saiu do drama para a raiva. A criança tornou-se uma víbora.

— Eu lhe disse que o sangraria, cara. Olhe para si mesmo! Você é um morto-vivo, um homem acabado — e dava risadas horripilantes. Não bastasse isso, Roger revelou as atrocidades que cometera contra o próprio Mellon: — Droguei você com alucinógenos e tranquilizantes. Seu cérebro está destruído, como o meu. Você nunca se perguntou por que anda como um zumbi miserável que vaga pelas ruas? Eu o fabriquei, semeador de lixo! Eu o fabriquei!

Nesse momento, caíram as vendas dos olhos de Mellon Lincoln. Um filme rodado em altíssima velocidade corria pela sua mente. Afinal, começou a entender as crises que tivera em sua casa logo após o acidente, na clínica e, por longos períodos, nas Bahamas. O psicopata desejava de fato destruir sua mente e quase conseguira. Destruíra sua imagem e seu raciocínio tempo-

-espacial, mas não de forma permanente, e nem sua consciência crítica. Sua inteligência, pouco a pouco, fora resgatada.

Roger afirmara que Mellon se tornara um maltrapilho por causa dos danos cerebrais das altas doses de drogas que lhe ministravam. Mellon, confuso por alguns momentos, colocou as mãos sobre a cabeça, apertou seu crânio e se perguntou: "Será verdade?". Depois, abriu o leque da sua mente, e ficou claro que, embora suas crises pudessem ter contribuído, ser um maltrapilho fora uma decisão consciente de experimentar a essência humana no sentido mais puro, apesar de nunca ter recomendado esse caminho a ninguém, nem mesmo a mim.

Mellon não reagiu às provocações de Roger. Apenas disse:
— Fui forjado pela dor. A dor me fabricou, a dor me tornou um caminhante!

E manteve o silêncio. E o silêncio deixava o assassino em pânico. Desesperado, Roger colocou a culpa em Mellon:
— Foi você quem matou sua família, Mellon! Você apenas me usou! Você é o assassino...

Eles estavam na grande sala oval da casa, e, antes que os policiais deixassem o ambiente, Roger atirou-lhe a última bomba:
— Ah! Arrombe o cofre embutido no armário do nosso quarto e veja quem é o outro Judas.

"O outro Judas?", perguntou-se Mellon. Nesse momento, tirou do bolso o velho bilhete que denunciava o ato terrorista.

Gostaria de ter seu perdão, mas não exijo que me perdoe. Sei que todo homem tem seus limites, principalmente quando atingem seus filhos. Saiba que dois dos seus grandes amigos da Megasoft encomendaram um assassinato. Seus filhos não morreram num acidente. Todos pensavam que você estaria no voo JM 4477 do dia 23 de março. Você era o alvo.

Mellon gelou. Roger não estava sozinho. Ele instalara um cofre secreto, e nele estavam suas agendas e uma fita gravada clandestinamente, que apontava seu parceiro. As imagens eram poucas, mas torturantes. Mellon ficou perturbado ao vê-las e ouvi-las. Confirmou suas suspeitas. Seu melhor amigo o traíra. Eu tive ânsia de vômito.

"Sagan, os terroristas querem dois milhões de dólares pelo serviço." Sagan respondeu: "Ok! Mas fale baixo. Quais as vantagens que terei e que garantia tenho de que as receberei?". Roger reagiu: "Meu amigo, posso sujar minhas mãos de sangue, mas não sou desonesto...".

Sagan já não estava mais lá fora. Fugira. Mas não fugiria jamais de si mesmo. Sua prisão física só ocorreria um mês depois, mas a masmorra psíquica já tinha ocorrido anos antes.

CAPÍTULO 25

O colecionador de alegrias

Roger foi para o carro da polícia. Seria julgado e certamente condenado à prisão perpétua. Mellon, o Colecionador de Lágrimas, não se aguentou e se retirou para chorar. Todas aquelas recordações haviam sido demasiadamente angustiantes para ele. Embora fosse um homem experiente, era difícil crer até onde a violência humana poderia chegar. Apoiou-se na escrivaninha de mogno do quarto, onde sempre fazia suas anotações. De repente, viu uma folha de papel, impressa com uma mensagem em espanhol. A folha estava encoberta por outros papéis, de modo que apenas uma parte da mensagem podia ser lida: "Julieta será...".

Mellon levou um susto. Julieta era o nome de sua pequena filha. Hesitante, retirou os papéis de cima e completou a leitura da mais incrível mensagem. Enquanto lia, foi perdendo a cor, ficando perplexo. Subitamente, saiu correndo. E, enquanto corria, bradava:

— Não é possível! O que está acontecendo, meu Deus? Não é possível!

Não entendi sua reação. Somente o acompanhei. Saiu tão desesperado que tropeçou num vaso no jardim. Caiu, levantou-se e novamente se pôs a correr, agora mancando. Chegou até a viatura da polícia, que estava levando Roger, e gritou:

— Parem! Parem!

A viatura parou. Quase sem voz pela corrida e pelo assombro da mensagem, disse:

— Sargento, por favor, coloque esse criminoso para fora.

Roger viu o papel amassado e sujo pela queda. Para nosso assombro, Mellon leu a mensagem, traduzindo-a:

— "Julieta será solta! Resolvemos, por meio de acordo com os governos da Colômbia e Venezuela, soltar a menina e outros prisioneiros. A soltura será no dia 20 de setembro. Assinado, Farc — Forças Armadas Revolucionárias da Colômbia".

O dia 20 de setembro seria dali a cinco torturantes dias. Roger sorriu novamente, como o mais insensível dos psicopatas. Mellon, dessa vez, gritou descontroladamente com ele:

— Que mensagem é essa? Minha filha está viva? — Pegou no colarinho dele e o chacoalhou. — Diga-me! Minha filha está viva?

Roger finalmente confessou:

— Ela foi uma das poucas sobreviventes da queda do avião na floresta, na fronteira da Colômbia. Paguei muito dinheiro para deixá-la lá.

— O que você disse, seu assassino? Não se importou com a dor dela? Delinquente! Animal! Todos esses anos em cativeiro... Ela deve estar doente, infectada, desnutrida.

Um dos policiais esbofeteou Roger, que começou a sangrar. Os outros queriam esmurrá-lo. Mas Mellon conteve o linchamento e fez sinal para que o levassem. Roger, ao se sentar no banco de trás da viatura, tirou sua peruca, mostrou suas deformações e teve ainda fôlego para dizer:

— E quem se importou comigo? Vocês fazem guerra, recrutam jovens para combatê-la, depois nos premiam como heróis. E nos esquecem. É o jogo, Mellon. Não foi você que disse que o sistema social enterra o corpo dos mortos e a alma dos vivos? Enterraram a minha alma, e eu enterrei a sua. É o jogo, Mellon!

A viatura policial partiu. Nesse momento, Mellon se lembrou das informações de dona Mercedes, a avó de Bartolomeu e do Prefeito. O boato era verdadeiro. As Farc sequestravam crianças das famílias de camponeses pobres para, desde cedo, doutriná-las como guerrilheiras. Mas Julieta era norte-americana, era prisioneira, não teria nenhum privilégio.

O Semeador de Ideias não dormiu naquela noite. No dia seguinte, reuniu-se com o grupo íntimo de amigos: os dez discípulos, pois Salomão havia morrido. Com a maior tristeza do mundo, falou toda a história da perda e da traição de seus falsos amigos. E, ao mesmo tempo, com a maior alegria do mundo, falou da esperança de encontrar sua filha, Julieta, viva. Houve alguns momentos em que ficou tão emocionado que perdeu a voz. Eu, então, entrava em ação e o ajudava. Após o longo relato, fez um convite a nós, sua nova família, para voar para a Venezuela com ele e presenciar o retorno de Julieta. Alegramo-nos muitíssimo com essa honraria.

Nos dias que se sucederam, Mellon contratou novos líderes para o grupo Megasoft. Fez múltiplas reuniões com eles e com os membros do conselho. Retomou o projeto da sua fundação, que afinal prestaria uma contribuição importante a milhões de miseráveis da África Subsaariana, uma região esquecida pelos países mais ricos do mundo. Sua fundação também contribuiria para a formação de uma nova geração de seres humanos sem fronteiras, que rompesse todas as barreiras e desenvolvesse um romance com a humanidade. Mellon trabalhava, mas não conseguia deixar de pensar um instante sequer em Julieta.

Finalmente, chegou o grande momento de se encontrar com sua filha. O avião bimotor da Cruz Vermelha pousou. Mellon, rapidamente, foi para a pista com parentes das outras vítimas. Nós ficamos no saguão. Olhos fixos na porta do avião, nenhum movimento se perdia. Cada prisioneiro que saía era como se fosse uma eternidade. Todos estavam debilitados, abatidos. Mas Julieta não aparecia. O homem mais tranquilo e sereno que eu conhecera começou a entrar em desespero. Emudeceu, ficou ofegante, inquieto. Talvez as notícias de que sua filha estava viva fossem falsas.

De repente, uma menina de dez anos de idade, com cabelos loiros, longos, aparentemente quebradiços, pele pálida, magérrima, saiu carregada do avião. Era, afinal, a pequena Julieta. Ela crescera, estava um pouco diferente, mas reconhecível.

Mellon chorava, incontrolavelmente, de alegria e de compaixão por sua pequena menina. Saiu correndo em sua direção. Ela não entendeu a manifestação daquele homem de braços abertos, pois a informação que tinha era a de que seu pai estava morto. Quando o homem se aproximou e ela viu que era seu papai, num ataque de euforia, pediu que a colocassem no chão. Também de braços abertos, saiu correndo, mancando da perna esquerda, sequela da fratura no acidente, que nunca fora tratada adequadamente no cativeiro. Foi o dia mais feliz daquela criança e daquele pai mutilado. Enquanto Julieta corria, gritava:

— Papai! Papai! Você está vivo! Papai, meu papai!

Do outro lado, Mellon corria e também gritava:

— Minha filha! Minha querida filha! Você está viva!

E a abraçou longamente, e a beijou continuamente, e com ela em seu colo dançou na pista, como às vezes fazia nos jardins da sua casa.

— Filha, eu te amo. Eu te amo. Desculpe-me! Desculpe-me! Não cuidei de você! Eu te amo.

— Papai! Papai! Meu querido papai, eu amo você. Quase todos os dias eu chamava seu nome, mas me diziam que você estava morto.

Eram informações passadas pelo tio psicopata. E a menina continuava a abraçar o pai carinhosa e continuamente.

— Minha filha, todos os dias me lembrei de você.

— Papai, não pude salvar o Fernando nem a mamãe. O avião pegou fogo tão logo consegui sair. — Ela começou a chorar.

— Não se culpe, querida. Não se culpe! Você é uma criança. Quando o avião pegou fogo, certamente eles já estavam dormindo, descansando — falou Mellon simbolicamente, com lágrimas copiosas nos olhos.

Carregando-a no colo, enquanto caminhava pela pista, inúmeros fotógrafos de muitos países os fotografavam. Diante daquilo, Julieta perguntou:

— Você continua famoso, papai?

— Não, filha, esses *flashes* são dirigidos a você. Hoje sou apenas um semeador.

— Papai, você se lembra do que me prometeu em nosso último encontro? — disse ela com voz imponente.

— Sim, de todas as palavras: um ano sem presentes em troca de uma semana comigo.

— Promessa é dívida! — cobrou ela.

Ele bateu continência.

— Pois você me terá todos os dias, todas as semanas. Sem você, perdi o ar para respirar. Não imagina a falta que você me fez.

Nesse momento, Mellon Lincoln olhou para o alto, suspirou profundamente e disse, com a filha ainda no colo:

— Oh, Deus! Artesão do tempo, do espaço e da vida, de cuja face não consigo fugir. Transformaste-me num colecionador de lágrimas, depois num colecionador de amigos e agora, sem que eu mereça, num colecionador de alegrias. Muito obrigado! Muito obrigado!

Momentos depois, ele entrou no saguão do aeroporto. Em seguida, disse à filha:

— Você não vai acreditar, vou apresentá-la a uns amigos fascinantes.

Aguardávamos ansiosamente por Mellon e Julieta. Não éramos mais maltrapilhos, estávamos todos bem trajados. O Prefeito e Bartolomeu estavam se sentindo num carnaval, com suas camisas novas e calças bem cortadas. Mellon nos apresentou e, depois dos abraços, brincou:

— Eles são um pouco estranhos, mas têm grande conteúdo.

A menina nos olhou de cima a baixo e, para nossa surpresa, soltou esta:

— Eu preferia que tivessem roupas desbotadas, descosturadas e até rasgadas. Não estou mais acostumada com essas belas vestes.

Olhamos para a pequena maltrapilha com os olhos estatelados. Era uma de nós. Tivemos compaixão por ela. Bartolomeu, para quebrar o clima, mostrou que nós sabíamos o que era dureza:

— Já morou debaixo de pontes, Julieta?

Ela olhou bem nos olhos dele e devolveu a pergunta:

— Já morou debaixo de árvores por 1.387 dias?

Ele quase caiu para trás. Constrangido, respondeu:

— Não!

O Prefeito topou o desafio.

— Já comeu sopa de camundongo, Julieta?

Ela fungou o nariz algumas vezes e lhe respondeu:

— Sim!

Ficamos embasbacados. Então ela o provocou:

— Já comeu vermes de troncos? E grilos e gafanhotos?

O Prefeito engoliu em seco e lhe respondeu timidamente:

— Não.

E ela continuou:

— Já foi acorrentado a troncos de árvores mais de cem vezes?

Ficamos todos calados, não havia o que responder. Nossos olhos se encheram de lágrimas. Mellon acariciava os cabelos da filha, enquanto ela nos colocava contra a parede.

Julieta ficara quase quatro anos em cativeiro. Dormira no chão, em cima de um magro e surrado colchonete. A cada semana, trocava de "acampamento" para fugir do exército da Colômbia. Pegara malária duas vezes. Seu fígado havia aumentado de tamanho. Não poucas vezes tinha de se arrastar sobre a lama para fugir junto com os guerrilheiros. Fora acorrentada a troncos de árvores, para que não escapasse. Sua pele estava grossa e descamada devido às picadas de insetos e às consequentes coceiras. Era uma criança, apenas uma criança, como qualquer outra, mas experimentara uma miséria e uma dor que Bartolomeu, o Prefeito e todos os sem-teto deste país jamais haviam experimentado.

— Menina, como você sofreu! — disse Jurema, espantada e condoída.

Julieta, em vez de reclamar, comentou:

— Mas aprendi nesse horrível lugar que, quando não se tem nada, qualquer coisa é muito.

— Uma semeadora de ideias? Mellon, você já tem uma substituta — disse Mônica, tentando alegrá-la.

Ele concordou. Em seguida, abraçou a filha contra o peito. Ela representava milhões de crianças torturadas, famintas, dilaceradas, aterrorizadas pelo sistema dos adultos. Comovido, Mellon disse-lhe novamente:

— Filha, minha pequena filha. Eu vou cuidar de você. Amo você mais do que imagina.

Ela agarrou seu pescoço e depois beijou seu rosto e um de seus olhos, como sempre fazia. E, abraçados, partiram. Foram construir a sociedade dos sonhos...

Fim

Pós-dedicatória

Ofereço este livro a todos os árabes que abraçam judeus sem medo e os encaram como membros da família humana; e a todos os judeus que pensam como espécie e enxergam os árabes, em especial os palestinos, como filhos da humanidade e lutam pelo seu bem-estar.

Ofereço-o a todos os povos que não veem os imigrantes como invasores de sua nação, mas como hóspedes do generoso planeta Terra. Ofereço-o a todas as pessoas que lutam para proteger as crianças contra todo tipo de violação dos seus direitos e que entendem que uma espécie que não cuida dos seus pequenos não é viável.

Discriminar, excluir, controlar pessoas que têm a mesma complexidade intelectual, por causa da fina camada da cor da pele ou por diferenças religiosas, políticas, culturais, sexuais, é uma atrocidade contra os direitos humanos, é desonrar a arte de pensar.

Sou de origem multirracial: árabe, judia, italiana, espanhola e brasileira. Essa multiculturalidade ajudou-me na minha formação. Gostamos de defender nossa bandeira racial ou nacional, mas creio que nossa espécie tem muito mais sede de seres humanos sem fronteiras do que de pessoas que se posicionam como americanas, europeias, asiáticas ou africanas.

A todos os que, de alguma forma, se tornaram semeadores de ideias; que descobriram que as ideias são mais poderosas do que as armas, mesmo que aparentemente desprezíveis. Sim, a todos os que entendem que os frágeis usam a violência, mas os fortes, as ideias. Os frágeis excluem, mas os fortes apostam tudo o que têm nos que pouco têm. A todos os loucos, desvairados, excêntricos, aventureiros, utópicos que são apaixonados pela humanidade e pela natureza e que ainda acreditam na sociedade dos sonhos e na viabilidade da espécie humana.

Você pode participar do projeto Ser Humano Sem Fronteira. Semeie essa ideia, crie comunidades e lute pela materialização desse sonho:

www.humanosemfronteira.com.br

Leia, nas próximas páginas, um trecho dos livros que compõem a saga *O Vendedor de Sonhos*.

O Vendedor de Sonhos – O chamado

CAPÍTULO 1
O encontro

No mais inspirador dos dias, sexta-feira, cinco da tarde, pessoas apressadas — como de costume — paravam e se aglomeravam num entroncamento central da grande metrópole. Olhavam para o alto, aflitas, no cruzamento da Rua América com a Avenida Europa. O som estridente de um carro de bombeiros invadia os cérebros, anunciando perigo. Uma ambulância procurava furar o trânsito engarrafado para se aproximar do local.

Os bombeiros chegaram com rapidez e isolaram a área, impedindo os espectadores de se aproximar do imponente Edifício San Pablo, pertencente ao grupo Alfa, um dos maiores conglomerados empresariais do mundo. Os cidadãos se entreolhavam, e os transeuntes que chegavam pouco a pouco traziam no semblante uma interrogação. O que estaria acontecendo? Que movimento era aquele? As pessoas apontavam para o alto. No vigésimo andar, num parapeito do belo edifício de vidro espelhado, debruçava-se um suicida.

Mais um ser humano queria abreviar a já brevíssima existência. Mais uma pessoa planejava desistir de viver. Era um tempo saturado de tristeza. Morriam mais pessoas interrompendo a própria vida do que nas guerras e nos homicídios. Os números deixavam atônitos os que refletiam sobre eles. A experiência do prazer havia se tornado larga como um oceano, mas tão rasa quanto um espelho d'água. Muitos privilegiados financeira e intelectualmente viviam vazios, entediados, ilhados em seu mundo. O sistema social assolava não apenas os miseráveis, mas também os abastados.

O suicida do San Pablo era um homem de quarenta anos, face bem torneada, sobrancelhas fortes, pele de poucas rugas, cabelos grisalhos semilongos e bem tratados. Sua erudição, esculpida por muitos anos de instrução, agora se resumia a pó. Das cinco línguas que falava, nenhuma lhe fora útil para falar consigo mesmo; nenhuma lhe dera condições de compreender o idioma de seus fantasmas interiores. Fora asfixiado por uma crise depressiva. Vivia sem sentido. Nada o encantava. Naquele momento, apenas o último instante parecia atraí-lo. Esse fenômeno monstruoso que costumam chamar de morte parecia tão aterrador... mas era, também, uma solução mágica para aliviar os transtornos humanos. Nada parecia demover aquele homem da ideia de acabar com a própria vida. Ele olhou para cima, como se quisesse se redimir do seu último ato, olhou para baixo e deu dois passos apressados, sem se importar em despencar. A multidão sussurrou de pavor, pensando que ele saltaria.

Alguns observadores mordiam os dedos em grande tensão. Outros nem piscavam os olhos, para não perder detalhes da cena — o ser humano detesta a dor, mas tem uma fortíssima atração por ela; rejeita os acidentes, as mazelas e misérias, mas eles seduzem sua retina. O desfecho daquele ato traria angústia e insônia aos espectadores, mas eles resistiam a abandonar a cena de terror. Em contraste com a plateia ansiosa, os motoristas parados no trânsito estavam impacientes, buzinavam sem parar. Alguns colocavam a cabeça janela afora e vociferavam: "Pula logo e acaba com esse *show*!".

Os bombeiros e o chefe de polícia subiram até o topo do edifício para tentar dissuadir o suicida. Não tiveram êxito. Diante do fracasso, um renomado psiquiatra foi chamado às pressas para realizar a empreitada. O médico tentou conquistar a confiança do homem, estimulou-o a pensar nas conseqüências daquele ato... mas nada. O suicida estava farto de técnicas, já havia feito quatro tratamentos psiquiátricos malsucedidos. Aos berros, ameaçava: "Mais um passo e eu pulo!". Tinha uma única certeza, "a morte o silenciaria", pelo menos acreditava que sim. Sua decisão estava tomada, com ou sem plateia. Sua mente se fixava em suas frustrações, remoía suas mazelas, alimentava a fervura da sua angústia.

Enquanto se desenrolavam esses acontecimentos no alto do edifício, apareceu sorrateiramente um homem no meio da multidão, pedindo passagem. Aparentemente era mais um caminhante, só que malvestido. Trajava uma camisa azul de mangas compridas desbotada, com algumas manchas pretas. E um *blazer* preto amassado. Não usava gravata. A calça preta também estava amassada, parecia que não via água há uma semana. Cabelos grisalhos ao redor da orelha, um pouco compridos e despenteados. Barba relativamente longa, sem cortar havia algum tempo. Pele seca e com rugas sobressaltadas no contorno dos olhos e nos vincos do rosto, evidenciando que às vezes dormia ao relento. Tinha entre trinta e quarenta anos, mas aparentava mais idade. Não expressava ser uma autoridade política nem espiritual, e muito menos intelectual. Sua figura estava mais próxima de um desprivilegiado social do que de um ícone do sistema.

Sua aparência sem magnetismo contrastava com os movimentos delicados dos seus gestos. Tocava suavemente os ombros das pessoas, abria um sorriso e passava por elas. As pessoas não sabiam descrever a sensação que tinham ao serem tocadas por ele, mas eram estimuladas a abrir-lhe espaço.

O caminhante aproximou-se do cordão de isolamento dos bombeiros. Foi impedido de entrar. Mas, desrespeitando o bloqueio, fitou os olhos dos que o barravam e expressou categoricamente:

— Eu preciso entrar. Ele está me esperando. — Os bombeiros o olharam de cima a baixo e menearam a cabeça. Parecia mais alguém que precisava de assistência do que uma pessoa útil numa situação tão tensa.

— Qual o seu nome? — indagaram sem pestanejar.

— Não importa neste momento! — respondeu firmemente o misterioso homem.

— Quem o chamou? — questionaram os bombeiros.

— Você saberá! E se demorarem me interrogando, terão de preparar mais um funeral — disse, elevando os olhos.

Os bombeiros começaram a suar. Um tinha síndrome do pânico, outro era insone. A última frase do misterioso homem os perturbou. Ousadamente ele passou por eles. Afinal de contas, pensaram, "talvez seja um psiquiatra excêntrico ou um parente do suicida".

Chegando ao topo do edifício, foi barrado novamente. O chefe de polícia foi grosseiro.

— Parado aí. Você não devia estar aqui. — Disse que ele deveria descer imediatamente. Mas o enigmático homem fitou-lhe os olhos e retrucou:

— Como não posso entrar, se fui chamado?

O chefe de polícia olhou para o psiquiatra, que olhou para o chefe dos bombeiros. Faziam sinais um para o outro para saber quem o chamara. Bastaram alguns segundos de distração para que o misterioso malvestido saísse da zona de segurança e se aproximasse perigosamente do homem que estava próximo de seu último fôlego.

Quando o viram, não dava mais tempo para interrompê-lo. Qualquer advertência que fizessem contra ele poderia desencadear o acidente, levando o suicida a executar sua intenção. Tensos, preferiram aguardar o desenrolar dos fatos.

O homem chegou sem pedir licença e sem se perturbar com a possibilidade de o suicida se atirar do edifício. Pegou-o de surpresa, ficando a três metros dele. Ao perceber o invasor, o outro gritou imediatamente:

— Vá embora, senão vou me matar!

O forasteiro ficou indiferente a essa ameaça. Com a maior naturalidade do mundo, sentou-se no parapeito do edifício, tirou um sanduíche do bolso do paletó e começou a comê-lo prazerosamente. Entre uma mordida e outra, assoviava uma música, feliz da vida.

O suicida ficou abalado. Sentiu-se desprestigiado, afrontado, desrespeitado em seus sentimentos.

Aos berros, clamou:

— Pare com essa música. Eu vou me jogar.

Intrépido, o estranho homem reagiu:

— Você quer fazer o favor de não perturbar meu jantar?! — disse com veemência. E deu mais umas boas mordidas, mexendo as pernas com prazer. Em seguida, olhou para o suicida e fez um gesto, oferecendo-lhe um pedaço.

Ao ver esse gesto, o chefe de polícia tremulou os lábios, o psiquiatra estatelou os olhos e o chefe dos bombeiros franziu a testa, perplexo.

O suicida ficou sem reação. Pensou consigo: "Não é possível! Achei alguém mais maluco do que eu"

O Vendedor de Sonhos
e a revolução dos anônimos

CAPÍTULO 1

Um homem polêmico e surpreendente

Quando navegávamos no oceano do tédio apareceu um homem surfando em ondas raramente vistas. Rompendo os grilhões do cárcere da rotina, virou nossa mente de cabeça para baixo, pelo menos a minha mente e a dos que dele se aproximavam. Sem nenhuma estratégia de *marketing*, tornou-se o maior fenômeno sociológico dos últimos tempos. Fugia do assédio social e dos holofotes da mídia, mas era quase impossível ficar imperceptível ou deixar-nos indiferentes aos seus pensamentos.

Sem se identificar, proclamava ser um vendedor de sonhos, e surgiu como um furacão no seio de uma grande metrópole, convidando algumas pessoas para segui-lo. Era um estranho seguido por estranhos de um modo enigmático. E ainda fazia exigências:

— Quem quer seguir-me deve primeiro reconhecer suas loucuras e entrar em contato com sua estupidez. — E, erguendo o tom de voz, clamava aos passantes que encontrava pelo caminho: — Felizes os que são transparentes, pois deles é o reino da saúde psíquica e da sabedoria. Infelizes os que escondem suas mazelas debaixo da cultura, dinheiro e prestígio social, pois deles é o reino da psiquiatria. — E, para nosso espanto, afagava a própria cabeça com as mãos, fitava bem nos olhos dos que o ouviam: — Mas sejamos honestos! Somos todos especialistas em esconderijos. Enfiamo-nos em buracos inimagináveis para nos esconder, até debaixo da bandeira da sinceridade.

Esse homem alvoroçava a sociedade. Seus ouvintes ficavam atônitos. Por onde andava causava desordens. Qual a sua residência? Morava debaixo de pontes e viadutos e, às vezes, em albergues municipais. Jamais alguém tão frágil agiu com tanta contundência nestes tempos. Não tinha seguro-saúde, proteção social nem dinheiro para suas refeições. Era um miserável, mas tinha a intrepidez de dizer:

— Não quero que sejam andarilhos como eu. Mas sonho que sejam andarilhos nas vielas de seu próprio ser. Percorram territórios que poucos intelectuais se arriscaram a explorar. Não sigam mapa nem bússola. Procurem-se, percam-se. Façam de cada dia um novo capítulo, de cada curva uma nova história.

Criticava a maquinização do *Homo sapiens* moderno, que vivia, trabalhava e dormia como máquina, sem refletir sobre o que é ser *sapiens* nem sobre os mistérios da existência. Andava na superfície da terra, caminhava na superfície da existência, respirava na superfície do intelecto. Algumas pessoas protestavam: "Quem é esse audacioso invasor de privacidade? De que manicômio saiu esse sujeito?". Outras descobriam que não tinham tempo para o essencial, em especial para si mesmas.

[...]

A origem desse homem era uma incógnita, inclusive para seus discípulos. Quando interrogado sobre sua identidade, repetia seu famoso pensamento:

— Sou um caminhante que anda no traçado do tempo, procurando-se.

Era paupérrimo, mas tinha o que os milionários não possuíam. Sua sala de visita era enorme e arejada: algumas vezes eram os bancos das praças, outras vezes, as escadas de um edifício ou a sombra de uma árvore. Seus jardins se espalhavam por toda a metrópole. Jubilosas, suas retinas contemplavam-nos como se fossem os Jardins Suspensos da Babilônia, cultivados só para encantá-las. Fazia de cada flor uma poesia, de cada folha uma seta para mergulhar nos mananciais da sensibilidade, de cada tronco carcomido um momento para voar nas asas da imaginação.

[...]

Certa vez, três psiquiatras passaram por ele e ouviram um de seus discursos. Um deles ficou embasbacado com o maltrapilho, mas os outros dois, perturbados, disseram: — Esse homem é um perigo para a sociedade. Precisa ser internado. Lendo os lábios deles, retrucou:

— Não se preocupem, amigos, já estou internado. Vejam esse belo e grandioso hospital psiquiátrico — e apontou a sociedade.

[...]

Inconformado com a formação da personalidade dos jovens, certa vez "invadiu" no final do expediente uma escola particular de ensino fundamental, cujos alunos eram filhos de pais de classe alta e média alta. Havia granito no chão, colunas de mármore, vidros escuros nas janelas e ar-condicionado em cada sala. Todos os alunos tinham um computador pessoal. Era tudo "perfeito"; o único problema era que as crianças, agitadas, não tinham deleite de aprender, não desenvolviam o pensamento crítico. Para elas, a escola e o ambiente educacional eram quase insuportáveis. Ao ouvirem o sinal, batiam em retirada, saíam apressadas das suas dependências como se vivessem confinadas.

Os pais, ao buscar seus filhos, não tinham um minuto a perder. Davam broncas nos filhos quando se atrasavam na saída. Nesse clima de ansiedade, o Vendedor de Sonhos burlou o esquema de segurança, colocou um nariz de palhaço, começou a correr, pular, dançar e fazer palhaçadas no pátio. Ao verem o maluco no ambiente, inúmeras crianças de nove, dez e onze anos se esqueceram de sair da escola e o acompanharam.

Abrindo as asas como um avião, ele saiu voando para um pequeno jardim. Ali, imitou um sapo, um grilo e uma cascavel. Foi uma algazarra. Em seguida, fez algumas mágicas. Tirou uma flor da manga, um coelhinho do paletó. E, após alguns minutos de diversão, disse às atentas crianças: — Eis a maior mágica. — E tirou uma semente do bolso. Então lhes disse: — Se fossem uma semente, que tipo de árvore vocês gostariam de ser? — Pediu para fecharem os olhos e imaginarem a árvore que seriam. Cada criança imaginou uma árvore em particular, desde o diâmetro do tronco, o contorno da copa, a dimensão dos galhos aos mais variados tipos de folhas e flores.

Diversos pais procuravam seus filhos desesperadamente. Nunca eles haviam se atrasado dez minutos na saída. Alguns pensaram que tivessem sido sequestrados. Os professores também os procuravam, e alguns deles, ao chegarem ao local onde o Vendedor de Sonhos fazia sua *performance*, ficaram impressionados com a quietude dos alunos, ainda mais naquele horário. Viram o maltrapilho e perceberam que quem agitava a escola era o estranho que incitava a cidade.

Depois desse breve exercício de imaginação, ele disse às crianças:

— Uma existência sem sonhos é uma semente sem solo, uma planta sem nutrientes. Os sonhos não determinam que tipo de árvore você será, mas dão forças para você entender que não há crescimento sem tempestades, períodos de dificuldades e incompreensão. — E recomendou: — Brinquem mais, sorriam mais, imaginem mais. Lambuzem-se com a terra dos seus sonhos. Sem terra a semente não germina. — Nesse instante, pegou o barro que estava ao seu lado e lambuzou a cara.

Admiradas, diversas crianças também meteram as mãos no barro e sujaram a cara. Algumas borraram as roupas. Jamais se esqueceriam dessa cena, mesmo quando envelhecessem. Entretanto, seus pais, ao chegarem ao local e verem os filhos sujos e sendo ensinados por um homem pessimamente vestido, de aparência estranha, se escandalizaram. Alguns protestaram:

— Tirem esse louco do meio de nossos filhos! Esbravejando, outros disseram:

— Pagamos uma mensalidade caríssima e essa escola não oferece o mínimo de segurança. Que afronta! Chamaram os seguranças, e com safanões o expulsaram da escola na frente das crianças. Juliana, garota de nove anos, uma das que mais sujaram o rosto, correu ao encontro dele e gritou:

— Parem, parem!

Admirados, os que enxotavam o Mestre pararam o cortejo. Subitamente Juliana lhe deu uma flor e lhe disse:

— Gostaria de ser uma videira.

— Por quê, minha filha?

Ela respondeu:

— Não é forte nem bonita como você. Mas qualquer um pode alcançar seus frutos.

Extasiado, o Mestre expressou:

— Você será uma grande vendedora de sonhos.

Certos professores pediram que os seguranças fossem gentis com o homem que expulsavam. Na saída, alguns o aplaudiram. Virando a face, ele disse-lhes:

— Uma sociedade que aparelha muito mais quem pune do que quem educa será sempre enferma. Não me curvaria diante dos famosos nem dos grandes líderes desse sistema, mas curvo-me diante dos educadores.

E curvou-se diante dos admirados professores e professoras. Em seguida, saiu sem direção. Não era fácil acompanhar esse misterioso homem.[...]

Eu, um intelectual da sociologia, um professor universitário egocêntrico, saturado de orgulho, que sempre tive a necessidade doentia de ser elogiado e de controlar meus alunos, que jamais tive a ousadia de acompanhar uma pessoa, há cerca de seis meses passei a seguir um maltrapilho cujos cabelos eram desgrenhados e relativamente compridos, de barba malfeita, que trajava paletós rotos e amassados, daqueles que não se compram nem nos piores brechós.

[...]

Esse homem resgatou-me quando eu estava prestes a me suicidar. Após o resgate, era para ele seguir seu caminho e eu o meu, e talvez nunca mais nos encontrássemos. Mas o diálogo que usou para dissuadir meu desejo de desistir da vida assombrou-me. Pela primeira vez curvei-me diante da sabedoria de um homem. Estava prestes a pôr um ponto final nos meus dias, mas ele, depois de provocar minha mente depressiva, fez-me uma proposta perturbadora:

— Quero vender-lhe uma vírgula.

— Uma vírgula? — perguntei eu, pasmo. E ele completou:

— Sim, uma vírgula. Uma pequena vírgula, para que continue a escrever sua história.

A partir desse momento, meus olhos se abriram. Descobri que sempre usara a teoria dos pontos finais em minha história e não a teoria das vírgulas. Alguém me frustrava? Eliminava-o, colocava um ponto final no relacionamento. Alguém me feria? Anulava-o. Enfrentava um obstáculo? Mudava de trajetória. Meu projeto estava com problemas? Substituía-o. Sofria uma perda? Virava as costas.

Eu era um professor-doutor que usava os livros dos outros em minhas teses, mas não sabia escrever o livro da minha existência. Meus textos eram descontínuos. Considerava-me um anjo, e os que me frustravam, demônios, sem jamais admitir que fora carrasco da minha esposa, do meu único filho, dos amigos e dos alunos.

Quem elimina todos ao seu redor um dia será implacável consigo mesmo. E esse dia chegara. Mas felizmente encontrei esse enigmático homem e entendi que é possível conviver, sem vírgulas, com cachorros, gatos e até com cobras, mas não com humanos. Frustrações, decepções, traições, injúrias, conflitos fazem parte do nosso cardápio existencial, pelo menos do meu e de quem conheço. E as vírgulas são imprescindíveis.

[...]

ESCOLA DE INTELIGÊNCIA

A Escola de Inteligência é um programa de desenvolvimento psicológico, comportamental e emocional, criado há mais de dez anos pelo dr. Augusto Cury, que se fundamenta na teoria da inteligência multifocal, com contribuição de outras teorias psicológicas e pedagógicas. Atualmente, é adotado em várias instituições do Brasil e de outros países.

PREOCUPAÇÕES ATUAIS:

- 50% da população tem ou terá algum tipo de transtorno psicológico. *Fonte: Universidade de Michigan*
- A depressão será a doença mais comum do mundo em 2020. *Fonte: OMS*
- 30% dos jovens norte-americanos não se tornam produtivos, pois não se sentem bem consigo mesmos. No Brasil, esse índice é ainda maior. *Fonte: Revista Veja*

OS QUATRO PRINCIPAIS OBJETIVOS DO PROGRAMA:

- **Estimular o desenvolvimento das funções mais complexas da inteligência humana, como:** a reflexão antes da conduta, a empatia nas relações sociais, a interpretação de comportamentos, a formação da personalidade, o gerenciamento de pensamentos, a proteção emocional, a capacidade de superação de perdas e frustrações, entre outros.

- **Estimular o desenvolvimento da maturidade intelectual e emocional, como:** o treinamento do caráter, a tolerância, a disciplina, a liderança, o contentamento, a estabilidade, a flexibilidade, a introspecção, a longanimidade, a determinação, a benevolência, a autoconfiança, entre outros.

- **Promover o desenvolvimento das relações interpessoais, como:** a ética e a honestidade nas relações sociais, a atitude de contribuir sem esperar contrapartida, a empatia como compreensão do comportamento alheio, o debate de diferentes ideias, o diálogo presencial, a resolução de conflitos de forma amistosa, o trabalho em equipe.

- **Fornecer ferramentas para a saúde emocional e, assim, prevenir:** as fobias, a ansiedade, a depressão, a baixa autoestima, os transtornos psicológicos, a agressividade e o uso de drogas.

www.programaei.com.br
contato@programaei.com.br

PORTAL INTELIGÊNCIA

O Portal Inteligência objetiva transmitir cursos na modalidade EAD (ensino a distância) para todos os interessados em absorver o conhecimento de especialistas nas mais diversas áreas. Atualmente, oferece cursos sobre "O funcionamento da mente", "Os sete hábitos dos professores brilhantes" e "Os sete hábitos dos pais brilhantes", com o dr. Augusto Cury. Em breve, haverá cursos com outros autores.

Os cursos são feitos pela internet, com aulas gravadas e textos programados, no horário que o aluno desejar. Para mais informações, acesse: www.portalinteligencia.com.br.

MASTER INTERNACIONAL (USA)

Psicologia multifocal
Excelência na formação de gestores e educadores

A Florida Christian University, nos Estados Unidos, oferece mestrado em Psicologia Multifocal (teoria desenvolvida pelo autor desta obra) nas áreas de Educação e Administração. O curso será realizado em português, em breve em outras línguas, na modalidade EAD, via internet, com aulas ministradas por professores capacitados. Serão estudadas as teorias da inteligência, o processo de construção de pensamentos, o "eu" como gestor psíquico, a escola de inteligência aplicada na educação, programa de qualidade de vida, os papéis conscientes e inconscientes da memória, os códigos da inteligência e diversas outras disciplinas.

Qualquer pessoa formada em curso superior pode se inscrever, seja para crescimento profissional ou pessoal. Para mais informações, acesse: www.psicologiamultifocal.com.br.

Este livro foi composto em Minion Pro
para a Editora Planeta do Brasil
em abril de 2012